PIÈGE DE GLACE

PAR CATHLEEN ROULEAU

ILLUSTRATIONS : TRISTAN DEMERS

Québec ::

Gouvernement du Québec – Programme de crédit d'impôt
pour l'édition de livres – Gestion Sodec

© **Les éditions les Malins inc.**
info@lesmalins.ca

Éditeur : Marc-André Audet
Textes : Cathleen Rouleau
Correcteur : Pierre-Yves Villeneuve, Chantale Genet
Conception graphique, typographique et montage : Shirley de Susini
Illustrateur : Tristan Demers
Colorisation : Ian Fortin
Idée originale : Tristan Demers
Décor : Jocelyn Jalette

Dépôt légal – Bibliothèque et Archives nationales du Québec, 2013
Dépôt légal – Bibliothèque et Archives Canada, 2013

ISBN: 978-2-89657-184-0

Nous reconnaissons l'aide financière du gouvernement du Canada
par l'entremise du Fonds du livre du Canada pour nos activités d'édition.

Les éditions les Malins inc.
Montréal, Québec

Cathleen Rouleau,
auteure de :

Tristan Demer
auteur de

Romans, aux éditions Intouchables :
Z, Le secret du local S-80
Z, Le fantôme du Chemin-Joseph
Z, Le testament de Jim
Z, Le prisonnier du temps

Bandes dessinées aux éditions Boomerang
Collection *Gargouille* : 13 tome
Collection *Cosmos Café* : 3 tome
Collection *Salto* : 5 tomes (illustrations seulemen

Livres documentaires aux Éditions Hurtubise
Les enfants de la bu
Tintin et le Québec, Hergé au cœur de la Révolution tranqu
La bande dessinée en clas

Pour « Lutin » Laforce Valiquette.
Parce que ton sourire est le moins bien gardé
des secrets… Et c'est parfait. ❤

CHAPITRE 1

Adam travaillait, ce matin-là. Il portait des verres **FUMÉS** pour se protéger des rayons du *soleil* qui filtraient à travers la fenêtre de la cuisine du restaurant. Comme tous les **VAMPIRES**, Adam avait les yeux d'un **bleu** tellement pâle qu'ils avaient l'air presque BLANCS. Et ils étaient très SENSIBLES. Le pauvre devait toujours se cacher de la LUMIÈRE du jour, sous peine de se **BRÛLER** les rétines. Plus jeune, sa mère lui avait conté l'histoire d'un oncle éloigné dont les yeux avaient fondu au soleil par un bel après-midi d'été. Les vampires du monde entier connaissaient cette anecdote, puisque toutes les mères la contaient à leurs enfants pour leur faire PEUR et les convaincre de prendre des précautions. Bien sûr, le soleil n'avait jamais vraiment fait FONDRE les yeux d'aucun vampire, mais il était si dangereux pour eux qu'il valait mieux y penser à deux fois avant de s'y exposer.

Pourquoi le soleil était-il aussi dangereux ?

Parce que le corps des **vampires** fonctionnait différemment de celui des *humains* « normaux ». Leur peau – BLANCHE comme du lait, mince comme du papier et FRAGILE comme de la vitre – pouvait brûler au simple contact d'un rayon solaire (de rayons UV, plus précisément). Par contre, pour une raison inexplicable, elle supportait très bien la chaleur du *FEU*.

— J'AI UNE COMMANDE DE DEUX BURGERS !
hurla Tatiana par-dessus l'épaule d'Adam.

— D'accord ! répondit le vampire, sans GRAND enthousiasme.

Il détestait son travail. Premièrement, parce qu'il n'éprouvait ~~AUCUN PLAISIR~~ à se trouver derrière des grilles de cuisson, mais aussi, et surtout, parce que la viande lui donnait envie de VOMIR.

C'est laid, c'est mort, et ça pue ! pensait-il. Et en plus, c'est plein de sang ! Il frissonna de dégoût. D'aussi LOIN qu'il se souvienne, Adam n'avait jamais supporté la vue du sang. Même bébé, il refusait les bouteilles qu'on lui tendait. Dès qu'on approchait le LIQUIDE ROUGE de lui, il se mettait à crier de rage, à donner des COUPS de pieds dans le vide, à repousser le biberon : c'était la CRISE ! Ses parents s'étaient énormément inquiétés : leur fils était-il normal ? ? ? Les sanguilistes (les docteurs-vampires) n'avaient jamais réussi à expliquer ce qui clochait. Et Adam avait GRANDI sans jamais développer le GOÛT DU SANG. Ce qui, au début, avait fâché son père :

— Tu es un VAMPIRE, fiston ! ! ! Quelle sorte de vampire a peur du sang ? !

— Un vampire comme moi ! répliquait invariablement le petit.

Rien à faire. Ses dents ne lui serviraient jamais. En tout cas, jamais pour mordre quelqu'un. Il préférait de LOIn manger du ̃ ̃ ̃ ̃ ̃ ̃ .

— Ça vient, ces burgers ? lança Tatiana.
— **Deux secondes** ☺☺, je les emballe ! répondit Adam de sa voix ♪ nasillarde ♫ .

Pour sortir « dans le monde » sans se faire repérer, il devait cacher tout ce qui lui donnait l'apparence d'un vampire… À commencer par ses deux **ÉNORMES** canines ! Heureusement, les **SUCEURS DE SANG** de son espèce possédaient tous un muscle dans la mâchoire qui leur permettait de rentrer ces fameuses dents ↳à l'intérieur de leurs gencives↶. De la même façon qu'on lève les sourcils, Adam tirait sur ses muscles et SWOOP ses deux grandes dents RÉTRÉCISSAIENT, jusqu'à paraître tout à fait ordinaires. Cette astuce était très pratique pour se déguiser en « *humain normal* », mais elle était ultra inconfortable, puisque les dents, une fois rétractées, bloquaient une partie de sa cavité nasale (elles étaient tellement *LONGUES* qu'elles se logeaient jusque-là !) et la voix d'Adam sonnait plus *nasale* comme s'il se bouchait

les narines pour parler.

Il déposa les hamburgers sur le comptoir et regarda l'heure : cinq heures ! Enfin ! ! ! L'heure de rentrer à la maison ! Le temps de nettoyer ses grilles et d'ôter son tablier, il remonta son capuchon et se dirigea vers la sortie.

— Il ne fait pas un peu CHAUD pour porter un capuchon ? lui demanda Tatiana.

— Heu… C'est-à-dire que… J'aime beaucoup la chaleur, répondit Adam.

— Je veux bien, mais c'est la canicule, dehors ! Tu n'as pas PEUR de t'évanouir ?

Mais pourquoi toutes ces questions ? Ne pouvait-elle pas le laisser tranquille ?

— Eh bien… En fait, heu… *J'adore m'évanouir ! ! !*
Au revoir !

Il se dépêcha de partir avant que Tatiana ne réplique quoi que ce soit. Elle le regardait avec de GRANDS yeux **ronds**, ne sachant pas quoi ajouter.

— Ce gars est vraiment bizarre, se dit-elle.

~~ CHAPITRE 2 ~~

Il faisait très froid dans l'appartement. Douglas avait encore réglé l'air conditionné au MAXIMUM. Adam referma la porte derrière lui et relâcha aussitôt le muscle qui retenait ses dents dans leur cavité.

— Aaaahhh... soupira le v∂mpire de sa voix normale. Ça fait du bien !

Il fronça les sourcils. Un bruit **étrange** lui titillait les oreilles. Il suivit le son jusqu'à la cuisine où se trouvaient deux réfrigérateurs. Il ouvrit le deuxième **FRIGO**. Une **grosse** boule de poils blanche y était engouffrée et ronflait à pleine gorge.

— **DEBOUT, PARESSEUX ! ! !** cria Adam à son colocataire.

Douglas, un gigantesque homme des **NEIGES**, ouvrit les yeux et dit, en bâillant :

— Ho, salut ! Tu es déjà rentré ?

Il s'extirpa péniblement de sa position, s'étira, se gratta le ventre, et ajouta :

— Je faisais une sieste... **Grosse** journée au travail.

Le **yéti** gagnait sa vie comme « femme de ménage ». Pas facile de se mêler aux gens normaux quand on mesure plus de deux mètres et qu'on a le corps tout **BLANC** ! La seule astuce qu'il avait trouvée était de se déguiser. Avec un foulard sur la tête, des pantalons larges, une chemise à manches longues et un grand tablier, personne ne remarquait que, sous ces allures de vieille

femme provenant d'une LOINTAINE contrée et manifestement sortie d'un autre siècle, c'était un ABOMINABLE homme des NEIGES qui récurait leur appartement. Et puisque les femmes de ménage portent toujours des gants de caoutchouc, ses **grosses** mains poilues ne passaient inaperçues !

— Un nouveau client ? demanda Adam.

— Oui. Et sa maison est **ÉNORME** ! On dirait un manoir ! Cinq heures de labeur et je n'ai même pas terminé !

— Houa… ! À qui ça appartient, ce château ?

— À une espèce de vieux grincheux.

— Ha ha ha ! Et est-ce qu'il a essayé de te parler ?

— Oui ! Hi ! hi ! hi ! Tu aurais dû le voir. Il criait en AR-TI-CU-LANT CHA-QUE MOT !!! Il était vraiment désagréable, alors j'étais plutôt content de ma tactique...

Douglas DÉTESTAIT le contact avec les *humains*. Pour les éviter, il faisait semblant de ne pas savoir parler français. Il baragouinait ce qui ressemblait à une langue étrangère et ainsi, personne n'osait discuter trop LONGTEMPS avec lui.

Les deux amis en étaient à ce point de leur conversation lorsqu'ils entendirent une clé ↻tourner↺ dans la serrure. Ophélie arrivait juste à temps pour le repas du soir.

— Je vais aller l'aider, annonça le yéti.

Si Douglas avait de la difficulté à passer inaperçu dans le monde *des humains*, Ophélie, elle, devait déployer un MONSTRE d'imagination pour cacher son apparence de sirène. Elle allait à l'école tous les jours dans un fauteuil roulant, vêtue de ses longues jupes ou de ses grandes robes qui cachaient sa queue. Pour compléter son déguisement, elle *attachait* ses cheveux et enfilait une paire de lunettes, ce qui lui donnait l'air d'une hippie.

— Salut, les gars ! lança-t-elle, visiblement contente de rentrer.

Aussitôt la porte refermée, elle sauta hors de sa chaise et bondit à travers le salon jusqu'à la salle de bain, où elle enleva son costume.

— Je ne sais pas comment les filles font pour porter ça... soupira-t-elle. C'est tellement inconfortable !
— Comment ça s'est passé, l'école, aujourd'hui ? lui demanda Douglas.
— Vraiment mal : j'ai coulé mon examen de sciences…

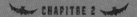

— HAHAHAHAHA ! ! ! ! EXPLOSA Adam.

— Arrête, ce n'est pas drôle ! J'ai besoin de ce cours-là pour…

— Non, tu ne comprends pas ! ! !

— … Hein ?

— Tu as « coulé » ton examen de sciences… COULÉ ! ! ! Tu ne peux pas COULER : tu es une   ! Les   ça ne COULE pas : ça nage ! HAHAHAHAHAHA ! ! !

Douglas ne put s'empêcher de rire, pendant qu'Ophélie les regardait, interdite. Elle cligna d'abord des paupières en SILENCE, puis leva les yeux au ciel, un sourire en coin, bonne joueuse.

— Alors, pour te consoler d'avoir « coulé » ton examen, ajouta le vampire, tu vas noyer ta peine dans le PLANCTON ? HAHAHA ! ! ! « NOYER » ! ! !

Il avait visiblement beaucoup de plaisir.

— C'est ça, acquiesça Ophélie. Et après, je vais être HEUREUSE COMME UN POISSON DANS L'EAU ! ! ! Hé ! hé !

Douglas et Adam se tordaient de plus belle. Ophélie, moins ricaneuse de nature, ne pouvait s'empêcher de sourire.

— Oh, là là ! ! ! laissa tomber le yéti. Je PLEURE de rire ! ! ! « PLEURE » ! ! ! HAHAHAHAHAHAHAHAHA ! ! !

— …

Un **LOURD** silence s'installa dans l'appartement, malgré leur ami qui continuait de rire.

— « Pleurer » ! ! ! essaya-t-il d'expliquer. Les larmes, c'est… c'est de l'eau ! … Et les sirènes… elles… nagent dans… l'eau ! … Non ? C'est drôle, non ? Hi ! hi !

— Ouuuaiiiis… Non ! trancha Adam.

Un malaise s'installa, durant lequel personne ne trouva quoi ajouter. Puis, au bout d'une bonne minute, le vampire lâcha :

— Doug… On dirait bien que tu as jeté un… FROID ! ! ! HAHAHA ! ! !

Cette fois-ci, les trois s'esclaffèrent de bon cœur.

— Ouf ! Ça me donne faim, tout ça ! déclara Ophélie. Qui cuisine, ce soir ?

— C'est moi, lança l'homme des **NEIGES.**

— Oh non ! se lamenta Adam. La dernière fois, tu as essayé de nous faire manger de la crème glacée pour souper !

— Eh bien quoi ? C'est délicieux, de la crème glacée !

— Oui… intervint Ophélie. Tu as raison. C'est très bon, de la crème glacée. Mais pas de la crème glacée aux **tomates**!

— Ah bon ? Vous n'avez pas aimé ça ? demanda naïvement la **boule de poils.**

— Disons que c'était… surprenant ! trancha son compagnon.

Pour tout dire, le pauvre Douglas ne savait pas du tout cuisiner. Chaque fois qu'il prenait le contrôle des fourneaux, le résultat laissait à désirer. Une fois, il avait servi du miel au POIVRE ; à une autre occasion, du pain grillé 🍪 trempé dans des oeufs crus et de la moutarde.

Sans parler de ses fameux cornichons à la mélasse…

Les deux autres n'avaient jamais osé lui dire, mais ses repas étaient tout simplement

DÉGOÛTANTS !

— De toute façon, dit-il, ne vous inquiétez pas. Ce soir, je n'invente rien. Je vais faire une recette de ma grand-mère ! Filets de *saumon* au **CHOCOLAT** servis avec du riz à l'ail, et… Quoi ? Qu'est-ce que vous avez à me regarder comme ça ?

LES DEUX AUTRES LE FIXAIENT COMME SI UNE TARENTULE LUI SORTAIT DU NEZ.

— Quoi ? répéta-t-il. Qu'est-ce qu'il y a ? !
— Tu as acheté du saumon ? demanda Ophélie d'une voix BLANCHE.
— Oui, il était en solde chez…
— MAIS ON S'EN FOUT DES SOLDES ! ! ! explosa la fille, rouge de colère.

Crois-tu vraiment que je vais manger du poisson ? ! Je SUIS un poisson ! ! !

C'est un peu comme si tu essayais de me faire avaler ma propre famille ! ! ! À quoi tu as pensé ? ! Est-ce que j'essaie de te faire manger du babouin, moi ? ! ? !

— Et de l'ail ! renchérit Adam. Je suis allergique à l'ail, tu le sais bien !

— Oh, mais je n'avais pas pensé à… Je… Je… EXCUSEZ-MOI ! dit Douglas d'une voix AIGUË en s'éloignant.

Il sortit du salon et alla s'enfermer dans le deuxième FRIGO, où on l'entendit pleurer à travers la porte.

— Bouhouhouuuu HOUUUU ! ! ! !

Ophélie, aussitôt prise de remords, sautilla à petits bonds vers la cuisine.

— Doudou, dit-elle doucement. Je m'excuse, je n'aurais pas dû crier après toi…

— SNIF ! Pensez-vous que… SNIF ! Que c'est facile pour moi ? SNIF ! Pas de… SNIF ! Pas de viandes, SNIF ! Pas de… SNIF ! De poissons, SNIF ! Pas d'ail, pas de… SNIF ! Pas de crème glacée aux tomates… ! SNIF !

JE NE PEUX RIEN CUISINER DU TOU-OU-ouuut !

— Je comprends… Au fond, tu as bien le droit de manger ce que tu veux, toi. Écoute, j'ai une idée : puisque personne ne mange la même chose dans l'appartement, je propose que chacun prépare son propre repas. Est-ce que ça ferait ton affaire ?

— **S**NIF ! **S**NIF !

Il ouvrit la porte et passa la tête hors du **FRIGO**.

— Est-ce que tu vas **M'EN VOULOIR** si je mange du poisson ? **S**NIF !

— … Non. Ça ira.

— Promis ?

— Promis.

Il finit par ressortir de son repaire, en s'essuyant les joues.

— … ET JE NE SUIS PAS UN BABOUIN ! ! !

✎ CHAPITRE 3 ❧

Il y eut un battement d'ailes de l'autre côté de la fenêtre. Adam, accroché à une barre de fer, la tête en bas, ouvrit un œil fatigué. Ses oreilles SENSIBLES captaient le MOINDRE son 🎵 et celui-là n'était pas familier.

— Qu'est-ce que… ? Ah… Un oiseau.

Il regarda sa MONTRE. Neuf heures. Étrange !
Il n'avait pas entendu Ophélie sortir de l'appartement
pour aller à l'école. Adam sauta de son perchoir et se
rendit à la salle de bain. Son amie se trouvait immergée
tout entière dans la baignoire remplie jusqu'au bord. Sa
chevelure foncée s'éparpillait tout autour de son visage,
en suspension, comme si la sirène s'était FIGÉE dans le temps
pendant une bourrasque de VENT. Ses mains, MOLLES
et INERTES, flottaient de chaque côté. Elle ne respirait pas.
Aucun ↔mouvement↔ ne venait déranger la surface de l'eau.

— OPHÉ... ?

Aucune réaction

— OPHÉLIE LARIVIÈRE ! ! !
— BLBF ??

La jeune fille se redressa en ÉCLABOUSSANT le plancher.

— Quelle heure est-il ? ! fit-elle, ALARMÉE, en
repoussant les cheveux qui lui collaient sur les joues.
— Neuf heures, annonça le vampire.

— HO NON ! ! ! JE SUIS EN RETARD ! ! !

Sortant du bain avec empressement, elle attrapa ses **vêtements** et les enfila à la ***VITESSE*** de l'éclair, luttant contre les **tissus** qui refusaient de **GLISSER** sur sa peau mouillée. Le temps de se coiffer un peu et de mettre ses **lunettes** sur son nez, elle était enfin prête à partir.

— Tu n'oublies pas quelque chose ? lui rappela Adam.
— **ZUT !** Merci.

Elle plongea la main dans le GRAND tiroir et, au hasard, sortit une bouteille de PARFUM à l'essence de *vanille* qu'elle vaporisa partout sur sa queue. C'était la seule façon de camoufler son ODEUR de POISSON. Malgré cela, lors des journées plus chaudes, les gens percevaient quand même les effluves particuliers de la mer, ce qui les poussait à se demander d'où ça provenait. Ophélie devait constamment surveiller la senteur qu'elle dégageait, au risque de se faire démasquer.

La *sirène* se rua vers le FRIGO pour y prendre son lunch.

— AAARRRGGGHHH ! ! !cria Ophélie.
— RRRAAAAHHHHH ! ! !répliqua Douglas.

Les cris résonnèrent jusque dans la rue. Mais ce n'était pas nouveau dans le quartier : une fois sur deux, Ophélie se trompait de porte, ouvrait le mauvais réfrigérateur et hurlait de PEUR en apercevant Douglas, qui se RÉVEILLAIT et criait à son tour.

— Tu ne pourrais pas dormir dans l'eau, comme tout le monde ? ! se fâcha la jeune fille.

— Mais personne ne dort dans l'eau ! ! ! se défendit le .

Son amie ne répondit pas. Elle ouvrit l'autre réfrigérateur d'un geste brusque, agrippa son repas du midi et sauta à GRANDS bonds jusqu'à la porte.

— Ta chaise… ! lui signifia Adam.

Dans un GRAND soupir d'IMPATIENCE ⏳, Ophélie se jeta dans son fauteuil roulant et sortit enfin.

Le premier cours de la journée était déjà terminé lorsqu'elle mit le pied dans l'école.

— Salut, Ophélie !

La *sirène* ferma les paupières, tentant de contenir son irritation. Elle connaissait bien cette voix. Jules. Cette espèce de GRAND frisé blond venait la voir tous les jours et la complimentait sans arrêt.

— Oh, tes **cheveux** sont mouillés ! Ça fait *joli*.

— Merci.

— Je ne t'ai pas vue ce matin, as-tu eu un *problème* avec l'autobus ?

— Non. Mon RÉVEILLE-matin n'a pas sonné

— Oh, dommage. Dis donc, qu'est-ce que tu fais ce soir ?

— Heu… Je… J'ai heu… J'ai une heu… réunion de…
d'appartement.

— Oh… Et ça va durer LONGTEMPS ?

— Pas mal toute la soirée ! Excuse-moi, je dois me rendre
au troisième étage pour mon prochain cours. À plus tard !

Ouf ! C'était pénible. Ne pouvait-il pas la laisser tranquille ?

Depuis la rentrée, Jules ne cessait de s'ACHARNER sur
elle, l'invitant à sortir, la couvrant de mots gentils, lui jetant
des regards doux. Ophélie en avait ras-le-bol. D'abord,
les humains ne l'intéressaient pas du tout. La plupart
d'entre eux ne savaient même pas nager et ils étaient
pratiquement tous incapables de retenir leur respiration
sous l'eau durant plus de quarante secondes ! Celui
qui voudrait attirer son attention allait devoir savoir se
priver d'air pendant au moins huit heures !

Elle chassa Jules de ses pensées et s'installa derrière un
pupitre près de la porte de la classe. Encore dix
bonnes minutes avant que les autres élèves arrivent.

CHAPITRE 3

—Tiens, je vais prendre mes courriels, en attendant…

Elle ouvrit son portable et lança le navigateur. Un NOUVEAU courriel de la part de la C.I.A. (la Communauté des INTROUVABLES Anonymes) l'attendait.

Ophélie fronça les sourcils et jeta un coup d'œil par-dessus son épaule. Elle savait bien qu'elle était seule dans le local, mais pour une raison obscure, vérifier une deuxième fois la rassurait. Personne n'approchait de la porte non plus. Elle ouvrit le message ✉ en **VITESSE**, prête à tout éteindre si quelqu'un se pointait.

« Réunion **URGENTE** de la C.I.A., demain soir à 20 h. Le lieu vous sera communiqué cette nuit par la méthode traditionnelle. Tous les **INTROUVABLES** sont tenus d'y assister. Prière d'observer rigoureusement toutes les **RÈGLES DE CAMOUFLAGE ET DE PRÉCAUTION**. »

Un **FRISSON** parcourut la colonne d'Ophélie. Un être *humain* normal n'aurait pas compris le sens de ce message ⊠, mais elle savait exactement ce que ça voulait dire : une menace planait sur les **INTROUVABLES**. Tous les Introuvables : les gargouilles, les chiens à deux têtes, les fées (celle des dents, celle des étoiles et toutes les autres), les golems, les centaures, les cyclopes… toute la communauté était en *DANGER* ! Il faudrait attendre la nuit. Morphée leur communiquerait le lieu de la rencontre dans un rêve télépathique. Ce qui voulait dire qu'ils feraient tous le même *rêve*.

— Bonjour, Ophélie ! lança le professeur en entrant.

La *sirène* sursauta et referma son ordinateur d'un geste sec.

—Et dire qu'il me reste encore toute la journée à passer avant de pouvoir en parler aux garçons ! pensa-t-elle, *contrariée.*

CHAPITRE 4

L'ATTENTE fut INFERNALE. Impossible de se concentrer sur ses travaux ou d'écouter les professeurs, la *sirène* passait son temps dans la **lune** ☽. L'heure du dîner arrivait et une seule chose l'obsédait : il lui fallait se cacher de Jules ! N'importe quoi pour éviter de lui faire la conversation et l'*entendre* ♪ dire à quel point il la trouvait *belle* !

La jeune fille trouva donc refuge au gymnase, où une partie de basketball réussit à la distraire de ses préoccupations. Les joueurs arrivaient à faire passer le **ballon** ● entre leurs jambes pendant qu'ils couraient !

Ophélie n'avait rien à voir avec les *sirènes* qui rêvent d'avoir des jambes. Mais si on lui en donnait une paire pour *quelques minutes* ☺ seulement, elle aurait voulu à tout prix essayer de faire **rebondir** un ballon entre ses pieds comme les joueurs de basketball. Ceci dit, personne ne la convaincrait de porter des chaussures à talons HAUTS. BEURK ! Ça semblait tellement INCONFORTABLE ! En attendant, elle se contenterait de pouvoir traverser l'océan à la 🏊 sans s'épuiser.

La journée passa et enfin, il fut temps de retourner à l'appartement. Jules l'attendait devant la porte de sortie de l'école. Soupir.

— Hé, Ophélie ! dit-il. Je t'ai cherchée partout ce midi, tu étais où ?

— J'étais à la **BIBLIOTHÈQUE**, je voulais emprunter un **LIVRE** 📖 :

Comment avoir la paix en une seule étape facile, répondit-elle, sarcastique.

— L'as-tu trouvé ?

— Visiblement non… !

QUEL IDIOT !

Une voiture se gara dans la rue devant eux.

Un *homme chauve* en sortit.

— JULES ! cria ce dernier. DÉPÊCHE-TOI !

— C'est qui ? demanda Ophélie.

— Mon père, répondit le jeune homme.

Un SILENCE s'installa. La jeune fille ne voulait pas l'encourager à discuter plus longtemps. Elle voulait rentrer, retrouver ses amis et enfin parler de cette **HISTOIRE DE RÉUNION**.

— Bon, eh bien… finit par dire le jeune homme. À la prochaine…

— Ouaip. **Bonne soirée** ✋ !

— Toi aussi ! Et bon week-end ! Fais-moi signe, si tu n'as rien à faire ! Mon père doit aller à l'extérieur de la ville pour rencontrer des clients, je serai seul chez moi, on pourrait écouter un film ou quelque chose du genre !

— Oui, oui, d'accord !

Pauvre bougre. Au fond, il essayait seulement d'être gentil… Ce qui ne l'empêchait pas d'être maladroit… Et épuisant. Mais bon. Il n'y a personne de parfait. Lorsqu'elle arriva à la maison, Adam et Douglas l'attendaient, ANXIEUX.

—As-tu reçu le message ✉ de la C.I.A. ? demanda le yéti, inquiet.

—Oui. Je me demande vraiment de quoi il s'agit.

—Peut-être d'une nouvelle maladie ? proposa le **vampire**. Une maladie mortelle ☠ qui ne frappe que les Introuvables ?

—OH NON ! ! ! S'ÉCRIA LA BOULE DE POILS. MAIS C'EST TERRIBLE ! JE NE VEUX PAS ÊTRE MALADE, MOI ! ! !

Des LARMES DE DÉTRESSE commençaient déjà à lui monter aux yeux.

— **WÔ, WÔ !** intervint la jeune fille. Calmez-vous, tous les deux. Il ne s'agit peut-être même pas de ça ! Attendons d'avoir plus d'informations, et après, on verra. J'avoue que c'est STRESSANT, mais on ne peut rien faire pour le moment. Ils passèrent tout de même la soirée à se faire des scénarios CATASTROPHIQUES.

— Une **GUERRE**, peut-être ? proposa Adam.
— Entre *humains* et **INTROUVABLES** ? demanda le yéti.
— Ou entre Introuvables et Introuvables… Peut-être que les **DÉMONS-ROUGES** ont brisé l'entente ?
— Ça ne m'étonnerait pas, déclara Ophélie, l'air dédaigneux. On ne peut jamais leur faire confiance, à ceux-là !

Comme dans toutes les sociétés, les Introuvables comptaient parmi leurs rangs une catégorie de gens profondément MÉCHANTS à qui on ne pouvait jamais faire **CONFIANCE**. Les **DÉMONS-ROUGES** mentaient sans arrêt, volaient, s'amusaient à ridiculiser les autres, attaquaient les innocents, complotaient contre la justice, faisaient des MAUVAIS COUPS, ne respectaient rien ni personne[1]. Quand un problème survenait chez les INTROUVABLES, les DÉMONS-ROUGES en étaient souvent les GRANDS responsables. Ils se nourrissaient du malheur des autres. Plus quelqu'un se sentait triste, fâché ou déçu, plus eux se sentaient PUISSANTS. Pour cette raison, les Introuvables avaient fait une entente avec eux il y avait de cela des centaines d'années : la paix serait préservée tant que la SÉCURITÉ des humains serait garantie. Si un terrien devait être tué par un DÉMON-ROUGE ou si une GUERRE éclatait sur la planète à cause de ceux-ci, on les chasserait, ils seraient punis et bannis de la Terre… pour toujours !

Aucun Introuvable ne souhaitait se faire bannir de la Terre. La vie était difficile sur les autres planètes : le manque d'eau, l'insuffisance de nourriture, l'absence de gravité et d'oxygène, la rareté des PLANTES, le caractère parfois EXPLOSIF des habitants, la chaleur accablante ou le FROID INSUPPORTABLE… tout ça faisait en sorte que personne ne voulait vraiment vivre ailleurs que sur la Terre.

1.Dans notre monde à nous, les démons-rouges s'appelleraient des autruches. C'est bien connu, les autruches sont sournoises, hypocrites et elles s'amusent toujours à ridiculiser les autres. Juste à voir leurs yeux, on sait qu'elles se moquent de nous. Et elles se cachent la tête dans le sable pour rire, les maudites ! (Note de l'auteure)

Il y eut un SILENCE dans l'appartement. Aucun des trois compagnons ne savait quoi ajouter sur le sujet. Ils décidèrent de préparer le SOUPER.

— Comment ça a été, vous, aujourd'hui ? lança finalement

Ophélie pour changer de sujet, tout en déposant des ALGUES dans son assiette. Moi, je n'ai pas été pas capable de me concentrer de la journée.

— J'imagine… ! répondit Adam.

Est-ce que Jules t'a embêtée en plus ?

— Qu'est-ce que tu crois ? Bien sûr que oui… !

Je ne sais plus comment agir pour lui faire comprendre qu'il ne m'intéresse pas.

— … Et toi, Doug, as-tu réussi à terminer le ménage du **MANOIR** de ton client *désagréable* ?

— *HÉ ! HÉ !* Oui, *ENFIN !* Sauf pour une pièce : mon client y était enfermé durant tout le temps que j'étais sur place. Quand j'ai frappé pour entrer, il m'a ouvert et fait signe de m'en aller. Je crois que c'est son **B U R E A U**. Je l'ai entendu parler au **téléphone)**. Il criait après quelqu'un, probablement un de ses employés.

— Franchement ! s'exclama la sirène. Les humains sont *étranges*. Parfois, la richesse les rend complètement *stupides* ! Comme si le fait d'avoir beaucoup d'argent leur donnait le droit de *HURLER* après les gens ! *PFF !*…

Et toi, Adam?

— Bah. La routine. À part que j'ai failli me faire prendre par la caissière.

— Qu'est-ce que tu veux dire ?

— J'étais appuyé sur la grille de cuisson et, puisque ma

peau ne ressent pas les **BRÛLURES**, je ne m'en étais même pas aperçu ! Tatiana me regardait comme si j'étais un extraterrestre. Elle n'en croyait pas ses yeux.

— … Mais ce n'est pas logique ! Les extraterrestres ne ressentent pas les **BRÛLURES**, eux non plus, observa le *yéti*. Si tu en étais un, ça serait tout à fait normal que les grilles ne te fassent AUCUN EFFET.

— Oui, mais ça, Tatiana ne le sait pas !

— Oh, je vois ! Elle pense que les extraterrestres peuvent se brûler tout comme les *humains* ?

— Non, Douglas ! Elle ne sait pas que les extraterrestres existent ! ! !

— Ho… ! Mais… Attends, je ne comprends pas plus… Je suis tout *confus*, là ! Pourquoi t'aurait-elle regardé comme si tu étais un extraterrestre si elle ne sait même pas que les extraterrestres existent ? !

— C'était une expression ! Tatiana ne me regardait pas vraiment comme si j'étais un *Martien*, elle me regardait de *travers* ! ! De façon *INCRÉDULE* ! Elle était *SURPRISE* et *curieuse* en même temps ! ! !

— AAAAAHHHH ! Maintenant, je comprends ! Pourrais-tu

me donner la poivrière, s'il te plaît ? Merci. Et qu'est-ce que tu as fait quand tu l'as vue paniquer ?

— Je lui ai dit que la grille était ÉTEINTE. Heureusement, elle m'a cru sur parole…

— Imagine si elle avait voulu vérifier en posant sa propre main sur la grille ! fit Ophélie.

— Je sais. Elle se serait BRÛLÉE sévèrement et LÀ je n'aurais pas su quoi inventer !

— Ouf… Fais **ATTENTION** ! lui recommanda son amie.

—Aaa…

— Ça va ?

Le POIVRE moulu par Douglas avait volé en particules jusqu'au nez d'Adam, qui luttait pour ne pas éternuer en grimaçant.

— Aaa… Ah… ATCHOU !

POUF !

Là où se trouvait le vampire, quelques secondes auparavant, volait maintenant une MINUSCULE chauve-souris. Ophélie et Douglas, interloqués, observaient l'animal faire des zigzags dans les airs, partagés entre un sentiment d'ANGOISSE et une FOLLE envie de rire.

Puis, aussi **RAPIDEMENT** qu'il était disparu, Adam reprit

sa forme normale : *POUF !*

— Qu'est-ce que c'était que ça ? ! s'exclama la jeune fille.

— Ouais... hum... répondit le *vampire*, intimidé. Je ne

vous l'ai jamais dit... Lorsque j'éternue, je me transforme

instantanément.

— *HAHAHAHAHA* ! s'esclaffa le yéti. Ça te fait ça chaque fois ? !

— Ouais. C'est vraiment embêtant.

— Encore ! ! !

Sans avertir, l'homme des NEIGES lança une poignée de POIVRE au nez de son ami.

— Non, Dou… ATCHOU ! ! !

 POUF ! ! !

Sous le regard franchement amusé de ses deux colocataires, Adam reprit la forme d'une chauve-souris. Le petit volatile étrange fonçait dans tous les murs, visiblement mécontent. Il fallut une quinzaine de secondes avant que le charme ne disparaisse.

POUF !

— Ne fais plus jamais ça ! lança le vampire en colère.

— Hahahaha ! ! ! C'est beaucoup trop drôle ! riait son ami.

— NON ! Ce n'est PAS drôle ! Pourquoi pensez-vous que je vous l'ai caché tout ce temps ? ! Je voulais justement éviter ÇA !

Ophélie ne pouvait pas s'empêcher de sourire, amusée, elle aussi, par la situation. Puis son esprit pratique s'emballa.

— Comment est-ce que ça fonctionne ? demanda-t-elle. Tu ne peux pas du tout l'empêcher ?

— La seule façon de l'éviter, c'est de ne pas éternuer.

— Mais… Et si ça t'arrivait devant des humains ?

— Justement. Ça ne doit **PAS** arriver ! **JAMAIS !**

— Mais… Pourquoi ? Je veux dire : est-ce que tous les vampires ont ce problème ?

— Non. Seulement moi. Je crois que c'est parce que je n'ai jamais bu de sang. Mon système est plus FRAGILE et je n'ai pas toujours le contrôle. Les autres vampires peuvent se transformer quand ils le veulent et aussi longtemps qu'ils le désirent. Pas moi.

— Et est-ce qu'il y a autre chose, comme ça, qu'on ignore ? demanda le yéti.

— À part que je peux lire dans tes pensées ? Non. Pas vraiment.

— Tu peux lire dans mes pensées ? ! s'écria son ami, inquiet.

Adam n'était pas télépathe. Il avait inventé cette histoire pour faire marcher l'homme des NEIGES, qui croyait un peu à n'importe quoi.

— Bien sûr que je peux. D'ailleurs, tu penses à te servir une autre assiette.

— COMMENT SAIS-TU ÇA ? ! ? !

C'était assez facile. Douglas prenait TOUJOURS une deuxième portion de repas.

— ET OPHÉLIE, À QUOI PENSE-T-ELLE ?

Adam regarda la sirène, qui lui fit un clin d'œil. Elle comprenait le stratagème et était prête à jouer le jeu. Le vampire prit une GRANDE inspiration et fit mine de se concentrer.

— Attends… Elle pense… qu'elle voudrait avoir un animal de compagnie ! Elle aimerait avoir un Bilby !

— Ahahaha ! Tu m'as eue, mentit Ophélie. C'est exactement à ça que je pensais !

— oUA ! ! ! ! cria le yéti, impressionné. Tu lis VRAIMENT dans les pensées ! ! ! Mais… Qu'est-ce que c'est, un « Bilby » ?

— Eh bien… Imagine le corps d'un petit chien, expliqua le vampire, ayant la tête d'une souris, les GRANDES oreilles d'un lapin et le nez d'un TAMANOIR.

— Bon ! coupa la sirène. C'est bien beau tout ça, mais moi je suis fatiguée et j'ai très hâte de savoir où on doit se rendre demain, alors je vais aller dormir !

Bilby

Elle se dirigea vers la salle de bain et hésita. Adam savait ce que leur amie allait demander, puisqu'elle le demandait tous les soirs. Il se pencha à l'oreille du *yéti* et souffla :

— Elle va nous demander si on veut prendre une douche…
Douglas se RAIDIT sur sa chaise, soudainement très curieux de connaître les prochaines paroles de la *sirène.* Cette dernière se retourna et dit :

— Quelqu'un veut prendre une douche avant que je me couche ?

— AAAAHHHH ! ! ! ! cria le yéti, hystérique. ELLE L'A DIT ! ! ! ELLE L'A DIT ! ! ! ! TU ES TROP FORT, ADAM ! ! !

— Tope là ! répondit l'autre, rempli de fierté.

Douglas tapa si **FORT** dans la main de son ami que ce dernier tomba par terre.

— OH NON ! Je suis désolé ! ! ! fit l'homme des NEIGES.
— Ça va, je suis OK, rien de brisé, répondit Adam en se massant la main.

Il sentait des picotements partout sur sa paume. Le yéti avait tendance à oublier à quel point il était **FORT**.

— Est-ce que je dois comprendre que personne ne veut aller se laver ? insista Ophélie, qui attendait toujours une réponse.
— Non, ça va, j'ai pris une douche cet après-midi…
— Moi, j'irai demain matin. Bonne nuit !

🦁 CHAPITRE 5 🦁

Douglas marchait dans les montagnes de son enfance. Le SILENCE hermétique de la NEIGE sur les immenses gardiens de pierre ne laissait filtrer aucune brise, aucun bruissement d'arbre, aucun chant d'oiseau. Seuls les pas du yéti CRAQUAIENT sous son poids. Il cherchait quelque chose et il fallait faire **VITE**. Sa survie en dépendait. Douglas regardait partout, fouillant chaque rocher, explorant chaque recoin. Aucune trace de ce qu'il cherchait.

Un cri d'aigle déchira le ciel. L'oiseau volait en effectuant

de GRANDS **cercles** à travers les NUAGES, signe qu'il s'apprêtait à chasser. Le froid gagnait en INTENSITÉ. Jamais l'homme des NEIGES ne s'était senti aussi transi. À quelques mètres, le fauteuil roulant d'Ophélie gisait sur le côté, à moitié enseveli.

— DOUG ! ! !

À qui appartenait cette voix ?

— DOUG, je suis ici ! ! !

Des moteurs grondèrent au LOIN. Le yéti tourna la tête et vit des MOTONEIGES à bonne distance. Impossible de discerner les conducteurs, dont les cris heureux perçaient faiblement le bruit des véhicules.

— DOUGLAS ! ! !

Qui donc appelait son nom sans arrêt ? L'homme des NEIGES ressentait l'URGENCE de trouver ce qu'il cherchait

(mais quoi ?). Le temps pressait. Il faisait de plus en plus froid. Un coup d'œil sous les GRANDS sapins : rien. Rien non plus dans les replis des rochers. Le vent commençait à se LEVER, menaçant.

— Qu'est-ce que tu cherches, Doug ?

Adam venait d'apparaître. Il semblait énervé.

— Je ne sais même pas ce que je cherche ! cria le yéti à travers les bourrasques de plus en plus **FORTES**.

Les MOTONEIGES ne cessaient de se rapprocher. On pouvait désormais voir leurs conducteurs : des **DÉMONS-ROUGES** qui continuaient de pousser des cris de victoire.

— Fais-moi confiance, insista son ami, toujours près de lui. Je vois dans tes pensées que tu as PEUR de L'AVALANCHE !

L'AVALANCHE ! ! ! Bien sûr ! C'est pour ça que les MOTONEIGES le troublaient, parce que le bruit qu'elles faisaient allait déclencher une AVALANCHE ! Il devait

trouver un endroit où se mettre à L'ABRI. Voilà ce qu'il cherchait depuis tantôt.

— DOUG, écoute-moi !

— Je t'écoute ! Arrête de crier mon nom ! lança-t-il à Adam.

— Ce n'est pas moi, répliqua ce dernier. C'est lui.

Le **VAMPIRE** pointa du doigt ☞EN DIRECTION de la **mONTAGNE**.

En *haut* de celle-ci, Morphée faisait de GRANDS signes avec ses bras. Le FROID était quasi INSUPPORTABLE. Pourtant, personne d'autre ne semblait s'en apercevoir. Les DÉMONS-ROUGES étaient presque arrivés à leur hauteur.

— LA SALLE DU GRAND PALAIS ! ! ! criait l'homme en haut de la montagne.

— As-tu compris ? demanda Douglas à Adam en grelottant. Le VAMPIRE avait disparu. Au même moment, dix MOTONEIGES arrivèrent en rugissant et se mirent à tournoyer autour du yéti, qui tentait désespérément de les convaincre de partir.

— TOUT VA S'EFFONDRER ! ! ! PARTEZ, OU NOUS ALLONS TOUS ÊTRE PRIS DANS L'AVALANCHE ! S'IL VOUS PLAÎT, **ARRÊTEZ ! ! !**

Mais les DÉMONS-ROUGES continuaient de tourner autour de Douglas en HURLANT de plaisir. Ce dernier claquait des dents et se frottait les bras, incapable de se

réchauffer. Pourtant, si un être pouvait supporter le FROID GLACIAL, c'était bien lui ! Inexplicablement, tous ses muscles se contractaient, complètement GELÉS.

Un grondement sourd et menaçant se fit entendre. On aurait dit que la montagne s'ébrouait. Un des DÉMONS-ROUGES siffla entre ses doigts et les autres comprirent qu'il était temps de partir. Ils rebroussèrent chemin à toute VITESSE, s'éloignant pour de bon.

— NON ! ATTENDEZ-MOI...

Inutile de les supplier : aucun d'eux n'embarquerait Doug. Des blocs de NEIGE commencèrent à se détacher du haut de la montagne, DÉGRINGOLANT LOURDEMENT sur ses flancs, entraînant d'autres grappes dans la course. Bientôt, une ÉNORME vague blanche prit naissance et déferla sans pitié vers le yéti qui essaya de courir, en vain. Ses jambes s'enfonçaient dans la NEIGE, l'immobilisant. À bout de forces, il leva les yeux et le noir tout entier l'avala.

Impossible de bouger. Le FROID s'infiltra comme un serpent à travers lui, paralysant son corps et son esprit. UNE LARME 🖤 figea au coin de son œil, pendant qu'un ultime appel à l'aide se frayait un chemin dans sa bouche :

— AAAAAAAAAARRRRRRGGGGGGHHHH ! ! !
— DOUDOU ! CALME-TOI, ON EST LÀ ! ! !

CCCCHHHHHuuuuTTTTT... Tout va bien aller.

Le yéti ouvrit des yeux paniqués. La porte du deuxième FRIGO était ouverte sur Ophélie et Adam. La sirène lui caressait le bras. Encore sous l'effet du CAUCHEMAR, Douglas respirait nerveusement, cherchant à mettre de l'ORDRE dans ses pensées.

— J'étais pris ! Totalement incapable de BOUGER !
— C'était seulement un rêve…
— Alors, si je comprends bien, tu n'as pas réussi à trouver de cachette ? fit le vampire.

— Attends ! Tu as fait le même rêve que moi ?

— Il semblerait que oui !

— MAIS... MAIS toi, Ophélie, tu n'étais pas là : il n'y avait que ta chaise !

— Je sais, répondit-elle, contrariée. Je n'ai pas réussi à fermer l'œil de la nuit. Alors, où est-ce qu'on doit aller ?

— La salle du GRAND PALAIS.

— Chez l'oncle d'Adam !

Le GRAND PALAIS appartenait au **comte Vincent**, le vampire le plus influent de la communauté. Il était d'ailleurs président de la C.I.A. Les réunions ne se tenaient chez lui que lorsque l'heure était GRAVE. Un pli d'inquiétude se dessina sur le front d'Ophélie.

CHAPITRE 6

— C'est **DIX DOLLARS** pour entrer.

L'homme qui se trouvait devant l'entrée du GRAND PALAIS était plutôt GRAND. Il regardait les trois amis d'un œil **SÉVÈRE**, les **BRAS CROISÉS**, l'air **SÛR DE LUI**. Douglas, *docile*, fouilla immédiatement dans les poches de son tablier

de ménagère, à la recherche de l'ARGENT exigé. Mais
Ophélie l'arrêta.

— Depuis quand nous charge-t-on un prix d'entrée pour
une réunion de la C.I.A. ? demanda-t-elle au portier.

— C'est la nouvelle procédure, répondit celui-ci.

— Ça m'étonnerait, répliqua la *sirène.* Il s'agit d'une
réunion de ***dernière minute*** ⌛, visant à nous transmettre
des informations d'une importance capitale. Tout le monde
doit être là. Faire payer les gens est la meilleure façon de
les décourager à venir. C'est illogique.

— Ce n'est pas moi qui décide, *mademoiselle,* répliqua le
colosse, imperturbable. Moi, je ne fais que mon travail.

Adam et le yéti suivaient la conversation sans rien dire.
Mais le doute commençait à les gagner, eux aussi.

— Adam, donne-moi ton téléphone cellulaire, lui ordonna la
jeune fille.

Le **vampire** obtempéra. Son amie composa un **numéro,**
posa l'appareil sur son oreille et attendit.

— Bonjour, comte Vincent… C'est Ophélie, l'amie de votre neveu ! Dites-moi donc, il y a un homme qui essaie de nous charger un prix d'entrée à la porte de votre…

Elle n'eut même pas le temps de terminer sa phrase que le fautif se sauvait en **COURANT**. Ophélie sourit et rendit le téléphone au **vampire,** sans même l'éteindre. Ce dernier vit que l'écran était tout noir. Il approcha le récepteur de son oreille : AUCUN SON.

— Mais… fit-il. Tu n'as pas appelé pour vrai ? !

— Non ! Je savais que ce type nous était louche.

Je gage tout ce que tu veux que c'était un stupide **DÉMON- ROUGE** qui tentait de nous arnaquer…

— Bien joué ! observa le yéti.

Grâce à leur capacité à se métamorphoser, les démons-rouges n'avaient aucune difficulté à se déguiser pour sortir « dans le monde » sans se faire remarquer. Ils pouvaient prendre l'APPARENCE de n'importe qui, à condition d'avoir eu un contact physique avec la personne en question. Par exemple, une SIMPLE poignée de

main avec un FLEURISTE et POUF ! les DÉMONS-ROUGES pouvaient prendre l'apparence de celui-ci[2].

Adam, Ophélie et Douglas entrèrent dans le BÂTIMENT et rejoignirent la salle de réception. Plusieurs INTROUVABLES se trouvaient déjà sur place, débarrassés de leur déguisement de ville. Un brOUhaha désordonné s'élevait dans la pièce. Les CRÉATURES fraternisaient entre elles en attendant le début de la réunion.

2. Ce qui serait complètement ridicule : personne ne veut ressembler à un fleuriste ! Peurk !

— Hé ! Comment ça va ! ? s'écria un **GIGANTESQUE** serpent à un monstre marin.

— Tout baigne ! répondit ce dernier avec un clin d'œil.

Un peu plus LOIN, deux lutins regardaient une carte de prévision des arcs-en-ciel, des gargouilles écoutaient en cachette les conversations plus privées, une sorcière retouchait son *rouge à lèvres,* des fées discutaient des plus récentes nouvelles de la forêt, alors qu'un cyclope flânait autour du buffet, tout ça pendant qu'un dragon s'occupait d'ALLUMER les torches accrochées aux murs. Il fallut attendre encore une *vingtaine de minutes* ☺ avant que le **comte Vincent** s'avance sur l'estrade et demande l'attention de tout le monde. Quelques retardataires entrèrent dans la salle, essayant de se faire discrets pour ne pas déranger le début des procédures.

— Merci de vous être déplacés aussi rapidement, lança le vampire, pour toute introduction. L'heure est très grave. Nous avons récemment appris qu'un humain connaîtrait notre existence. Pour l'instant, nous ignorons comment il

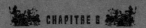

a pu percer notre secret, mais à vrai dire, c'est le moindre de nos soucis. Un plus GRAND *problème* attire notre attention.

Il prit une gorgée dans la coupe qui se trouvait près de lui, essuya DISCRÈTEMENT ses lèvres tachées de sang, inspira longuement, l'air de chercher ses mots, et ajouta enfin :

— Il semblerait que l'homme en question kidnappe les **INTROUVABLES** et les séquestre dans des tubes cryogéniques.

Un SILENCE perturbé coula sur le public incertain.

— Qu'est-ce que ça veut dire ? osa finalement demander un spectateur.

— Ça veut dire qu'il enferme ses victimes dans un compartiment hermétique et les fait SURGELER à très **basse** température. Les **INTROUVABLES** prisonniers sont totalement incapables de s'échapper.

— Est-ce qu'ils meurent, une fois qu'ils sont… SURGELÉS ? cria Ophélie par-dessus le murmure paniqué de la foule. Tout le monde se tut pour entendre la réponse.

— Eh bien… Nous croyons que la congélation est tellement *RAPIDE* qu'elle **FIGE** toutes les fonctions vitales, sans nécessairement tuer les victimes – un peu comme si on appuyait sur PAUSE pendant un film. Nous croyons que leur vie serait seulement « SUSPENDUE ». Mais ce n'est qu'une théorie, puisque nous n'avons jamais libéré qui que

ce soit d'un tel piège. Nous ne pouvons donc être sûrs de rien. Peut-être que le FROID intense et soudain les tue carrément.

— Comment avez-vous appris cette histoire ? demanda un centaure.

— Nous avons reçu l'APPEL ☏ d'un informateur. Bien entendu, nous n'aurions pas sonné l'ALERTE sur un simple coup de fil. Nous procédions à une enquête pour APPROFONDIR cette information. Mais voilà une semaine, une des nôtres, une elfe, a été attaquée près de sa résidence. Heureusement, elle a pu se tirer d'affaire et est venue nous faire part de sa mésaventure. Il semblerait que son AGRESSEUR tentait de la capturer vivante. Durant la bataille, il a fait un faux mouvement et a perdu pied, ce qui a permis à notre elfe de s'échapper. Elle a bien failli se faire attraper, puisque l'homme était armé d'un étrange PISTOLET tirant des seringues. Nous supposons qu'il s'agit d'un calmant, comme celui qu'on utilise pour neutraliser les animaux DANGEREUX.

— Connaissez-vous l'identité de cet homme ? demanda le dragon.

— Oui. Heureusement pour nous, notre témoin a une

mémoire ultra-précise et nous avons pu faire *dessiner* un portrait-robot du suspect. Nous vous demandons de bien l'observer et de rester sur vos gardes en tout temps. Si cet homme ou quelqu'un lui ressemblant s'approche de vous, fuyez et contactez immédiatement la **C.I.A.**

Sur l'écran **GÉANT** derrière le **vampire** apparut un visage tracé au crayon. Le dessin était si réaliste qu'on aurait dit une PHOTOGRAPHIE 📷 . Douglas, qui allait se gratter la joue, interrompit soudainement son geste alors qu'Ophélie, elle, eut un HOQUET de surprise.

— Qu'est-ce qu'il y a ? demanda Adam. Ça va ?
— Non, laissa tomber la jeune fille. Ça ne va pas du tout. Le SUSPECT, c'est le père de Jules !
— Oh non… Oh non ! chuchota Douglas, qui ne pouvait contrôler la boule d'angoisse qui **grossissait** dans sa gorge à une *VITESSE FULGURANTE*.
— Quoi ? ! Quoi ? !
— Vous ne comprenez pas…
Cet homme… C'est mon patron ! ! !

CHAPITRE 7

La déclaration-choc de Douglas fit monter l'excitation dans la pièce. La rumeur se répandit aussi *RAPIDEMENT* que l'ÉCLAIR et, bientôt, tous les **INTROUVABLES** le bombardèrent de questions.

— Quel est son nom ? fit le gigantesque serpent, en sifflant ♫ entre ses dents.

— **Marcus**, répondit Doug. **Marcus Lajoie !**

— Est-ce qu'il est GRAND ? demanda une fée.

— Euh… C'est-à-dire que…

Pour une fée de dix centimètres, **Marcus Lajoie** aurait l'air d'un **GÉANT**. Mais pour le yéti, il paraissait au contraire plutôt PETIT.

— Est-ce qu'il possède des pouvoirs magiques ? s'enquit une gargouille.

— Bien sûr que non, rétorqua une sorcière. C'est un **humain** !

— Mais attendez… ! INTERROMPIT soudain le compte Vincent. Vous dites que vous faites du ménage chez lui ?

— Oui…

— Et vous n'avez jamais vu de LABORATOIRE ou de salle destinée à la cryogénie ? Jamais aperçu d'Introuvables prisonniers ?

— Mmm… Non ! réalisa le yéti. Je n'ai jamais rien vu de la sorte. Et j'ai nettoyé tout son **MANOIR** !

Cette révélation souleva le doute. Comment cela se pouvait-il ?

— Si vous êtes allé dans son **MANOIR** et que vous n'avez rien vu de la sorte… où cache-t-il ses victimes, alors ?

— À son travail, peut-être ? suggéra Adam.

— J'en doute. À moins qu'il travaille complètement seul, ses collègues auraient tout vu… calcula Ophélie. Et si d'autres *humains* savaient que nous existions, la nouvelle serait dans tous les **journaux** !

— Ce qui n'est pas le cas, donc nous pouvons *rayer* cette **HYPOTHÈSE** de la liste…

Un court SILENCE tomba sur l'assemblée. Puis, un extraterrestre s'écria :

— Je parie que ce sont encore les **DÉMONS-ROUGES** qui essaient de nous mener en bateau pour nous terroriser !

— Mais bien sûr ! ! ! renchérit un cyclope. Ils peuvent prendre l'**APPARENCE** de n'importe qui ! Peut-être que votre témoin n'était qu'un **VULGAIRE** démon-rouge **déguisé** !

— C'est possible… songea le **comte Vincent**, contrarié.

— Qui est l'informateur, celui qui a passé le *coup de fil* ?

— Nous ne pouvons pas dévoiler cette information. Si son histoire est bel et bien vraie, ça pourrait nuire à sa sécurité.

— ET NOTRE SÉCURITÉ À NOUUUUUS ? ! laissa tomber un fantôme.

— Elle est bonne celle-là ! s'offusqua un lutin. Votre sécurité à vous, les FANTÔMES, elle n'est pas du tout menacée : vous n'êtes même pas réels !

— VEUX-TU VOIR SI JE SUIS RÉEL OU PAAAAAS ? répliqua le spectre.

Un TOURBILLON de VENT commença à se former dans la GRANDE SALLE de réception, faisant

voler les chapeaux, les écharpes et les papiers.

— CALMEZ-VOUS ! CALMEZ-VOUS ! ordonna le **comte Vincent**, de sa voix la plus forte. La meilleure façon de laisser un ennemi avoir raison de nous, c'est en nous retournant

les uns contre les autres ! Souvenez-vous qu'un peuple uni ne peut être vaincu. Tandis qu'un groupe divisé par la ZIZANIE perdra toujours la bataille ! Ce n'est pas le moment d'agir comme des ENFANTS !

Ces sages paroles calmèrent les ardeurs du groupe. Le FANTÔME et le LUTIN avaient baissé le regard, gênés, pendant que les autres perdaient soudainement toute envie de prendre part à la dispute.

— Voici ce que nous allons faire, reprit le VAMPIRE. Nous allons poursuivre notre enquête interne afin de confirmer que notre témoin est bel et bien digne de confiance et nous vous aviserons le plus rapidement possible. En attendant, demeurez sur vos gardes. Ne prenez aucun risque inutile ! les avertit-il.

La **réunion** s'était terminée dans le CHAOS. Tout le monde était inquiet et apeuré. Au final, on ne possédait pas vraiment plus d'informations, sinon qu'un homme s'amusait « peut-être » à KIDNAPPER des INTROUVABLES… Ou pas du tout !

❤ CHAPITRE 8 ❤

Ophélie, Douglas et Adam continuèrent de parler de ce qu'ils venaient d'apprendre durant le trajet du retour. Quelque chose ɕʟᴏᴄʜᴀɪᴛ dans toute cette histoire. Et si ce n'était qu'un 𝐌𝐀𝐔𝐕𝐀𝐈𝐒 coup imaginé par les démons-rouges ? Oui, mais pourquoi jeter le blâme sur un homme qui, jusque-là, n'avait jamais eu 🅐🅕🅕🅐🅘🅡🅔

avec les Introuvables ? se demanda tout haut Ophélie.

— Ce que je veux dire, expliqua la *sirène,* c'est :
POURQUOI LUI ? Si les **DÉMONS-ROUGES**
ont tout inventé, alors pourquoi faire accuser *Marcus*
Lajoie ? Ils auraient très bien pu forger une identité de
toutes pièces, mais là, il s'agit d'une personne qui existe
vraiment ! Pour quelles raisons auraient-ils fait ça ?

— Peut-être que *Marcus* a été méchant avec eux,
proposa Douglas. Ça ne serait pas trop DIFFICILE à
imaginer : il est désagréable avec tout le monde. Et les
DÉMONS-ROUGES sont rancuniers envers les gens
qui les traitent mal…

— D'accord, mais c'est un peu compliqué comme plan
pour de la rancune, non ? Normalement, ils ne se cassent
pas la tête : ils brisent un objet de valeur ou ils font
trébucher leur victime dans une crotte de chien. Ici,
on parle de faire accuser la personne de quelque chose
de très GRAVE ! Moi, je n'y crois pas, laissa tomber
Ophélie. C'est trop poussé ; trop compliqué pour rien.

— Les **DÉMONS-ROUGES** sont IMPRÉVISIBLES et

mal intentionnés. On ne peut pas leur faire confiance, dit Adam. Mais je suis d'accord avec Ophélie. Je ne crois pas que ce soient eux les responsables.

— Et en plus : CELA NE RESPECTAIT PAS notre entente. IMAGINEZ, si ça devait dégénérer… Les démons-rouges sont méchants, mais pas imbéciles. Ils ne voudraient pas se faire bannir de la Terre pour un mauvais coup ayant mal tourné…

— Mais je n'ai rien vu chez *Marcus* qui puisse le faire accuser !

— Es-tu certain d'avoir regardé partout ? demanda le vampire. Il pourrait y avoir des chambres SECRÈTES dans son manoir… Il y en a toujours dans ce genre de maison !

— HO NON ! s'écria Douglas, soudainement.

— Quoi ? ? ?

— J'avais oublié son **BUREAU** ! ! ! Je n'y suis jamais entré ! C'est la seule pièce que je n'ai pas pu *NETTOYER*, puisqu'il y travaillait !

— Ou alors il y cachait des **INTROUVABLES** surgelés et ne voulait pas que tu les voies ! ! !

— **SAC À GLACE** ! ! ! Ça m'était complètement sorti de
la tête ! ! ! Ça veut dire que j'ai gâché la **réunion**, en
semant le doute ! ! !

— Calme-toi, dit la jeune fille. **SANS PREUVE**, on ne
peut accuser personne ! Le but de la rencontre était de
nous informer du danger pour qu'on soit prudent : c'est fait.
Tu n'as rien **GÂCHÉ** du tout !

Une fois de plus, elle avait raison. Ils arrivèrent à
l'appartement, épuisés, mais pourtant incapables de
penser à dormir.

— Voulez-vous une glace aux crevettes ? offrit
Douglas. C'est moi qui les ai faites.

— Sans façon, merci, répondit le **vampire**.

— Fruits de mer : Non merci ! lui rappela Ophélie.

— Oh, c'est vrai... Pardon.

Chacun replongea dans ses pensées pendant que le **yéti**
mangeait **BRUYAMMENT** sa collation.

— Il faudrait que tu trouves le moyen de **T'INFILTRER** dans
son **BUREAU**, lança Adam, au bout de quelques
secondes.

— Mais comment ? *Mgnom-mgnom* ! Je ne retourne pas faire son ménage avant le mois prochain !

— C'est beaucoup trop *L O N G*, fit Ophélie. On ne peut pas attendre tout ce temps.

— Dans ce cas, il ne reste qu'une seule **SOLUTION**.

Le **vampire** regarda son amie d'un air entendu. Cette dernière ne semblait pas comprendre où il voulait en venir.

— Quoi ? demanda-t-elle. Parle, on t'*écoute* ♫ !

— Jules passe sa vie à t'inviter chez lui…

TU VAS DEVOIR ACCEPTER !

— QUOI ? TU VEUX QUE JE SORTE AVEC JULES ! ? JAMAIS ! ! !

— Je ne te dis pas de sortir avec lui… Mais accepte au moins une de ses **INVITATIONS** ! C'est la seule façon de savoir si son père est réellement celui qu'on croit !

— Ah oui, bien sûr, c'est une excellente idée ! EXPLOSA la *sirène*, en colère. Aller toute SEULE chez un homme qui s'attaque aux **INTROUVABLES**, alors que je suis celle qui a le plus de difficulté à cacher ma vraie identité ! VRAIMENT, BRA-VO ! Je ne cours presque aucun risque, n'est-ce pas ! ? !

— MAIS ATTENDS, JE N'AI PAS DIT QUE…

— Et qui nous prouve que Jules n'essaie justement pas de m'attirer chez lui pour aider son père à me **kidnapper** ? ! ? !

— D'accord, d'accord ! Ne te fâche pas après moi ! J'essaie seulement de trouver des *idées* !

— De toute façon, on ne peut pas mener l'enquête nous-mêmes, ça serait très imprudent ! plaida le *yéti*.

— Nous sommes pourtant les seuls à pouvoir nous INFILTRER dans son **MANOIR** sans qu'il ne se doute de quelque chose !

— Attends   j'ai peut-être une autre

idée ! dit Ophélie, tout à coup plus calme. Tu pourrais te transformer en chauve-souris et y aller, Adam ! Il ne se méfiera jamais d'un animal !

— Je vous ai dit que je ne maîtrisais pas la métamorphose !!! Ça m'arrive seulement quand j'éternue et ça ne dure que quelques secondes ! Je n'aurais même pas le temps de TRAVERSER le COULOIR que je serais à NOUVEAU moi-même. Il verrait aussitôt que je suis un INTROUVABLE et je ne serais pas mieux que mort☠ ! Je refuse !

— … De toute façon : on ne peut pas mener l'enquête nous-mêmes, ça serait TRÈS IMPRUDENT !!! persista Douglas.

— On pourrait y aller avec toi, chez Jules, pensa le vampire. Tu n'as qu'à trouver un prétexte pour qu'il nous invite tous et le tour serait joué ! Doug et moi irions fouiller le BUREAU pendant que tu l'occuperais !

— Sans oublier que… mener l'enquête nous-mêmes serait TRÈS IMPRUDENT !!! insista vigoureusement le yéti. Vous ne m'écoutez pas, on dirait !

Ophélie soupira. Il fallait se rendre à l'évidence : y aller était vraiment la seule façon de s'INFILTRER dans le **MANOIR**. Et à trois, ils risquaient moins de se faire attraper. Du moins : ils pourraient mieux se défendre.

— OK, se résigna-t-elle. Mais **JE VOUS AVERTIS** : nous allons suivre mon PLAN à moi, sinon je n'y vais pas du tout ! Est-ce que c'est CLAIR ?

— Absolument, répondit Adam.

— …

— Doudou ?

— Moi, je ne dis plus rien. De toute façon, je parle dans le VIDE !

— Mais non, tu ne parles pas dans le vide, le rassura son ami… On entend ce que tu dis. C'est simplement que nous restons DE GLACE ! AHAHAHAHAHAHA ! ! !

— Oh, ne recommence pas avec tes horribles jeux de mots ! ! !

— D'accord, d'accord, j'arrête ! Mais toi, arrête de me regarder aussi FROIDEMENT ! Hihihihihi !

— Je ne ris pas.

— OK, j'arrête pour vrai. J'essayais seulement de détendre

l'atmosphère, tu sais ! Pas besoin de t'emporter !

— Pff ! Tu la retravailleras celle-là, parce que je ne la comprends pas.

— Heu… Il… Il n'y avait pas de blague dans ma dernière phrase.

— Ho…

S'en suivit un SILENCE chargé de malaise, auquel Ophélie décida finalement de couper court.

— Bon, alors voici ce que je propose : demain après-midi, nous irons chez Jules, tous les trois, ensemble. Nous lui dirons qu'on ne savait pas quoi faire de notre journée de congé et qu'on a pensé lui rendre visite.

— Ça ne sera pas étrange ? demanda le vampire. Tu REFUSES toujours ses invitations et soudainement, tu débarques chez lui sans aucune bonne raison, avec deux personnes qu'il ne connaît pas… ?

— Tu ne comprends pas… C'est le moment ou jamais d'y aller : son père est ABSENT pour toute la fin de semaine ! C'est la seule façon de ne pas l'avoir dans les pattes !

— MAIS OPHÉLIE... TU N'AS PAS DE PATTES !
HAHAHAHAHA ! ! !
— HAHAHAHAHA ! ! ! s'esclaffa le *yéti*, malgré lui.
Celle-là est très *drôle*, par contre ! HAHAHAHA ! « Pas
de pattes » ! ! ! HAHAHAHA ! PARCE QU'ELLE A UNE
QUEUE ! ! !

— C'est fini, oui ? fit la jeune fille, impatiente.

— Oui, pardon. Continue.

— Je pourrai distraire Jules pendant que Doudou et toi
allez essayer d'entrer dans le **B U R E A U** !

— ... Bon d'accord. De toute façon, j'ai promis de t'*écouter*...
En espérant que ça fonctionne ! As-tu pensé à comment tu
vas t'y prendre pour le distraire ?

— Il n'y a qu'une seule façon de distraire un gars, quand
on est une fille : *on l'embrasse !* ❤ lança fièrement
Douglas.

— C'est très mal me connaître ! s'enflamma Ophélie.
Faites-moi confiance. Je suis une *sirène* : je sais
exactement quoi faire...

⚮⊶ CHAPITRE 9 ⊷⚮

— Je pense encore qu'on ne devrait pas faire ça ! ! ! chuchota Douglas, très NERVEUX.

Ils étaient tous les trois sur le pas de la porte du **MANOIR** des Lajoie. Adam appuya sur la *sonnette* 🔔.

— Eh bien, trop tard pour reculer, maintenant ! dit-il.

Ils attendirent, anxieux. De LONGUES secondes s'écoulèrent sans qu'on ne vienne leur répondre.

— Bon, bien… Il n'est pas là ! lança le yéti, à la hâte. Partons !

— Attends… C'est GRAND, un MANOIR. Ça doit être LONG À TRAVERSER !

Effectivement, peu après, on entendit la serrure tourner, puis Jules apparut dans l'embrasure.

— OPHÉLIE ? ! s'exclama-t-il, étonné. QU'EST-CE QUE TU… ÇA VA ?

— Oui ! Ça va, merci ! Tu m'as dit que tu serais tranquille durant la fin de semaine, alors j'ai pensé que tu serais à la maison.

— Bien sûr, mais… Je ne m'attendais pas à ta VISITE, ou du moins… À te voir arriver avec des amis !

— Oh, je sais : mes colocataires et moi, on se promenait dans le coin alors j'ai voulu passer te saluer. Ça ne te dérange pas trop, j'espère ? On peut partir…

— Non non ! Pas du tout, ENTREZ ! Ça me fait plaisir !

Il serra la main d'Adam, qui avait pris soin de cacher ses ÉNORMES canines avant de sourire à pleines dents. Douglas donna aussi une poignée de main à leur hôte, qui plia les genoux de DOULEUR.

— Aïe !
— HO ! Mi Grani Tu Dilevra ! ♫ dit l'HOMME DES NEIGES, dans son COSTUME de ménagère.

Ophélie se reteint de rire, surprise par l'accent de son ami. Du coup, le personnage de ménagère du yéti lui revint en mémoire et elle s'EMPRESSA d'expliquer :

— Ça veut dire : « PARDON ! » Tu l'excuseras, elle ne parle pas français…
— Je vois… Mais est-ce qu'elle le comprend ? demanda le garçon.
— Oui, oui ! Absolument. Ça lui est seulement difficile de le parler.
— Eh bien… Venez au salon ! Voulez-vous boire quelque chose ? J'ai de la limonade…

— Oui, s'il te plaît.

— Je reviens tout de suite !

Il s'empressa d'aller à la cuisine pour servir les rafraîchissements. La *sirène* se tourna vers Doug.

— Alors ? Il est où, le **BUREAU** ?

— Par là, indiqua Douglas. Il faut prendre ce *LONG* couloir. C'est la deuxième porte à gauche.

L'homme des NEIGES s'essuya le front. Cette virée le rendait excessivement nerveux. Dans son mouvement, il passa tout près de faire tomber un vase de cristal, mais la *sirène* le rattrapa de justesse avant qu'il ne s'écrase par terre.

— Calme-toi ! lui murmura-t-elle. Tout va bien aller !
— Je suis désolé !
— Pendant que j'y pense…

Elle plongea la main dans son sac et en sortit quatre bouchons de caoutchouc beiges.

— Prenez ceci et mettez-les dans vos oreilles.
— Mais… Pourquoi ? demanda le vampire.
— Pas le temps d'expliquer, faites seulement ce que je vous dis et attendez MON SIGNAL !

Jules revenait déjà de la cuisine, les bras chargés d'un plateau rempli de VERRES, qu'il déposa un à un devant chaque invité, avant de s'asseoir près d'Ophélie. Cette dernière se tourna vers lui, prit ses mains dans les siennes et se mit à *fredonner* ♪ doucement, sous le regard intrigué de ses deux compagnons, qui n'entendaient rien du tout. Ni l'un ni l'autre ne connaissaient le pouvoir des *sirènes* : celui d'hypnotiser grâce à leurs *chants célestes.* ♪ ♫ ♪ Depuis le début des temps, des milliers d'hommes s'étaient laissé entraîner au fond des océans pour suivre la VOIX qui les rendait FOUS d'amour. Heureusement, Ophélie ne se servait jamais de son pouvoir pour entraîner des gens au fond de l'eau. Mais dans ce cas-ci, il s'avérait fort utile pour déconcentrer Jules.

— Ho, mais c'est *joli* ce que tu…

Ce dernier n'eut pas le temps de terminer sa phrase. Il tomba sous le charme, **COMPLÈTEMENT EN TRANSE**. Plus rien n'avait d'importance à ses yeux, hormis cette VOIX… Cette si belle VOIX !

La jeune fille agita une main DANS LES AIRS pour faire signe aux deux autres de passer à l'action.

Ceux-ci s'élancèrent dans le couloir.

— **C'EST VERROUILLÉ !** cria Adam, pour se faire entendre à travers les bouchons du yéti.

Impossible de défoncer sans laisser de ✳✳✳✳✳✳. S'ils faisaient erreur sur le cas de **Marcus Lajoie**, il serait trop facile pour celui-ci de retracer les coupables. Son fils pourrait lui dire que c'étaient eux qui avaient saccagé la maison.

— *JE SAIS ! ! !* s'excita Douglas. ATTENDS-MOI ICI ! ! !

Le **yéti** courut jusqu'à l'entrée, où se trouvait un meuble ΑΝΤΙQUΕ. Ouvrant un tiroir, il aperçut un trousseau de clés, le prit, et revint vers le **BUREAU**.

— MON PATRON LAISSE TOUJOURS DES DOUBLES À DISPOSITION, POUR LES **URGENCES** !

— DOUG, TU ES UN GÉNIE ! ! !

— JE LE SAIS, QUE NOUS SOMMES BÉNIS ! ! !

DIFFICILE DE BIEN SE COMPRENDRE lorsqu'on a les oreilles BOUCHÉES...

Adam prit le TROUSSEAU et essaya toutes les clés ⊶⊶⊶. Malheureusement, aucune d'elles ne fonctionnait[3]. Il lança un coup d'œil en direction d'Ophélie : elle chantait ♪ toujours, surveillant de *temps* ⏱ à autre la progression → de ses deux amis d'un œil impatient.

— QU'EST-CE QU'ON FAIT ? ! demanda Doug.
Adam l'ignorait. Il avait beau regarder de tous les côtés, aucune solution ne lui venait à l'esprit. La COLÈRE commençait à monter : ils ne pouvaient pas être venus jusqu'ici pour repartir **SANS AVOIR TROUVÉ DE RÉPONSES**.

— Non, non, non et non ! MARMONNA-T-IL, contrarié.
Tout à coup, une idée GERMA dans son esprit.

3. Franchement, ça aurait été beaucoup trop facile ! Et il n'y a rien de facile dans la vie... Sauf dormir et juger les gens.

— IL DOIT BIEN Y AVOIR UNE FENÊTRE QUI DONNE DANS CE **BUREAU** ! lança-t-il. SI ON PASSE PAR L'EXTÉRIEUR, ON POURRAIT PROBABLEMENT ENTRER !
— OUBLIE ÇA ! rétorqua l'homme des **NEIGES**.
ELLES SONT TOUTES BLOQUÉES PAR DES GRILLES D'ACIER !

Quoi faire ? Et Ophélie qui leur faisait signe de se dépêcher… Il remua à nouveau la poignée, sans succès. La porte était bien enclenchée, solide, impossible à ouvrir. Un chambranle de bois l'encadrait. Adam *glissa* la main dessus, dans l'espoir de trouver la fameuse *clé*, mais ne ramassa que de la poussière, que Doug devait avoir oublié de nettoyer… Puis un détail attira son attention.

Là, entre la porte et le *plancher,* une fente de quelques centimètres laissait filtrer la LUMIÈRE.

Subitement, tout devint limpide dans sa tête, comme si les **morceaux** d'un casse-tête s'imbriquaient eux-mêmes pour former une image CLAIRE. Ne suivant que son instinct, il se rua vers la cuisine, laissant derrière lui un

Douglas hébété et confus. En moins de deux, le **vampire** était de retour, tenant une poivrière.

— **LANCE-M'EN UNE POIGNÉE DANS LE NEZ !!!** ordonna-t-il à son ami.
— QUOI ?!
— **LANCE-M'EN DANS LE NEZ !!!**
— OÙ ÇA, UNE ARAIGNÉE ?!

Le yéti regardait partout, **TERRIFIÉ.** Être si **gros**, et avoir peur d'une si PETITE bestiole ! Adam soupira.

—

Il versa du poivre dans la main de son ami, puis **POINTA** son propre nez.

— LANCE-MOI DU POIVRE DANS LE NEZ !!!
— HO !!! D'ACCORD !!!

Il ne se fit pas prier. D'un geste sec, Doug envoya la poussière noire voler jusqu'aux narines de son acolyte.

— AH... AH... ATCH-**POUF** !

Il devait faire **VITE**. Il n'avait que quelques secondes avant que son apparence de chauve-souris ne disparaisse ! En trois coups d'aile, Adam s'engouffra sous la porte. À peine fut-elle traversée que POUF ! il reprenait sa forme originale.

— J'ai réussi !! J'AI RÉUSSI ! ! !

Déverrouillant la serrure de l'intérieur, il ouvrit a .
qui dansait de *joie*.

— TU AS RÉUSSI ! ! !

L'**HOMME DES NEIGES** arrêta brusquement
de sourire. Faisant un pas en avant et refermant
machinalement la porte derrière lui, il retira ses bouchons,
SANS JAMAIS LÂCHER DES YEUX LE FOND DE LA PIÈCE.

— Ho non… souffla-t-il.

Le **vampire** cessa de sourire et se retourna pour
comprendre le comportement **étrange** de
son ami. La vue qui s'offrit à lui le fit vaciller. Dans
cette salle se trouvaient des dizaines de cylindres
GIGANTESQUES, tous reliés à des moteurs
par d'énormes tuyaux. Une fumée **BLANCHE** vaporeuse
flottait au-dessus des installations. À travers les vitres des
incubateurs géants, on pouvait apercevoir des silhouettes
figées dans des positions **grotesques**.

Les deux garçons s'approchèrent au RALE N TI, subjugués par le SPECTACLE TERRIFIANT : un LUTIN, un extraterrestre, un chien à deux têtes et une elfe étaient là, coincés dans la GLACE. On aurait dit qu'ils essayaient d'appeler à l'aide ; une expression de panique collée à leur visage IMMOBILE[4] .

— Ho non ! ! ! répéta Douglas. C'était donc vrai !

— Et tu sais ce que ça veut dire ?

— Quoi ?

— Que nous sommes en DANGER, ici ! ! !

— SAC À GLACE ! C'est bien trop vrai ! Nous devons partir, et VITE !

— Mais NON ! On ne peut pas les laisser là, voyons !

— Qu'est-ce que tu proposes, alors ! ? Parce qu'on ne peut pas TRANSPORTER ces trucs sans se faire remarquer dans la rue !

— Qui parle d'emmener « ces trucs » ? ! Nous allons les sortir de là !

— Mais on ne sait même pas s'ils sont encore vivants ! ! ! Et même s'ils le sont : nous verrais-tu, en train de porter des INTROUVABLES congelés à bout de bras ! ?

---

4. Sauf pour l'elfe, bien entendu, puisque les elfes sont comme les chauffeurs d'autobus : ils n'ont pas d'émotions.

— **CHUT.**

— Comment ça, « **CHUT** » ? Je te dis que…

— **NON ! ! ! TAIS-TOI, ÉCOUTE !**

— … Quoi ?

— Rien, justement ! On n'entend plus Ophélie *chanter* ♪ !

— Qu'est-ce que…

Ils sortirent du **B U R E A U** sur la pointe des pieds, l'oreille tendue. Une voix résonna au LOIN :

— … à temps pour la réunion de demain. Allez-vous souper ici ?

D'un geste sec, Douglas agrippa le bras de son ami.

— ADAM… C'EST LUI ! ! ! C'EST MON PATRON ! ! !

CHAPITRE 10

Douglas et Adam retournèrent dans le **BUREAU** et s'y enfermèrent, **paniqués**. L'un faisait les cent pas, à la recherche d'une stratégie. L'autre se balançait sur lui-même, assis par terre.

— Il doit bien savoir que nous sommes ici ! lança l'**HOMME DES NEIGES**.

— Tu crois qu'il nous laisserait tout bonnement flâner dans son bureau à regarder des Introuvables qui sont peut-être **morts** ☠ par sa faute ? Bien sûr que non ! Il ignore notre présence.

— Et Jules ? Pourquoi n'a-t-il rien dit à notre sujet ? Il nous a vus entrer dans sa maison, tout de même ! Il le sait, lui, que nous sommes ici !

— Je ne sais pas ! Je ne sais pas !

— D'accord, mais nous avons toujours un *problème* : si **Marcus Lajoie** décide de venir travailler, nous sommes cuits !

— Non, nous ne serons pas cuits : nous serons **CONGELÉS** !

La poignée de porte ↺ *tourna* **SOUDAINEMENT**.

Les deux amis se raidirent, **COMPLÈTEMENT CATASTROPHÉS**. Ils étaient pris au piège. Dans un réflexe de survie, le **vampire** se lança derrière un cylindre de cryogénie, pendant que le **yéti** essayait

PÉNIBLEMENT de s'entasser dans un placard trop PETIT pour lui. La personne dans le couloir tenta de nouveau d'entrer, mais ne réussissant pas, gratta sur la porte. Adam fronça les sourcils. Pour quelle raison *Marcus Lajoie* gratterait-il dans la porte de son propre **BUREAU** de travail ? Il pouvait *aisément* déverrouiller la porte : il avait la clé ! À moins que…

— *C'est Ophélie !*

Adam sortit de sa cachette et, au pas de course, il alla **IMMÉDIATEMENT** ouvrir. La *sirène, TROP PRESSÉE* d'entrer, tomba presque par terre en se levant de son fauteuil roulant. Son attention se porta sur les IMMENSES cuves de cryogénie.

— Par Poséidon ! ! ! articula-t-elle, sous le CHOC.
— Qu'est-ce qui se passe là-bas ? ! la pressa Adam.

Reprenant ses esprits, la jeune fille lança à toute *VITESSE* :
— *Marcus Lajoie* est revenu plus tôt que prévu !

J'essaie de détourner son attention, mais je ne sais pas *combien de temps* ⊕⊕⊕ j'arriverai à le retenir ! En ce moment, ils croient que je suis à la salle de bain : je ne peux pas rester longtemps, autrement ils vont venir voir ce qui se passe !

— Et Jules ?

— Je lui ai dit que vous étiez partis ; il ne se souvient de rien qui aurait pu se passer durant l'hypnose. Je dois y retourner ↺ ! **DÉPÊCHEZ-VOUS !**

— Mais on ne sait pas quoi faire ! ! ! se plaignit Douglas, toujours coincé dans le placard.

— Improvisez, faites ce que vous voulez, mais DÉPÊCHEZ-VOUS, NOM D'UNE CRIQUE ! ! ! vos idiots ! ! !

— Mais pourquoi ? Tu ne peux pas les hypnotiser à nouveau ?

— DEUX EN MÊME TEMPS ? ! POUR QUI ME PRENDS-TU, LA *Princesse des mers* ? ! ?

Sur ces mots, elle sortit.

— Ho non ! murmura Douglas. Ho non ! ! ! Nous allons mourir☠ !

— Pas question de mourir☠ aujourd'hui : je n'ai pas le temps ! rétorqua l'autre. Allez, sors de là et suis-moi !

Il se dirigea vers les cylindres et les observa. La paroi du dessus semblait pouvoir se soulever, ce qui logiquement, permettait aux victimes d'y entrer. De LONGS tuyaux étaient attachés à la base. D'après ce que le vampire pouvait remarquer, ceux-ci projetaient un liquide excessivement froid qui congelait

AUTOMATIQUEMENT tout ce qu'il touchait. Un frimas BLANC recouvrait toute la surface des tuyaux, ce qui voulait dire qu'on ne pouvait pas les prendre à mains nues, au risque de se brûler.

— Se brûler ? Mais c'est FROID... ! fit Douglas qui, après plusieurs secondes de luttes avec le placard, le rejoignait tout juste. Tu déconnes ?

— Non. À une TEMPÉRATURE PLUS BASSE que la normale, le froid peut aussi brûler la peau des humains. Connais-tu la glace sèche ?

— Non.

— C'est une GLACE artificielle si FROIDE qu'on ne peut pas la toucher, sinon on se brûle la peau. Je crois que c'est en partie ce qui permet à ces engins de fonctionner...

— Et ces moteurs, ils servent à quoi, alors ?

— Probablement à PROPULSER LE LIQUIDE et à maintenir le niveau de congélation dans les appareils. Un peu comme pour un réfrigérateur : c'est un MOTEUR qui fait en sorte que l'intérieur reste froid.

— On a qu'à l'éteindre et nous allons pouvoir libérer les INTROUVABLES.

— Au contraire… On va s'en servir.

— Hein ?

— J'ai une idée : es-tu **ASSEZ FORT** pour forcer les couvercles des cuves ?

— Oui, sûrement.

— Parfait. Tu vas les ouvrir et tu vas sortir les **INTROUVABLES**.

— Facile !

— Attention : le froid qui règne là-dedans n'a rien à voir avec le froid que tu connais ! Il est cent fois plus intense ! Si tu traînes, tu **RISQUES** d'aller rejoindre nos amis ici présents…

— D'accord. Et ensuite ?

— Ensuite, tu n'auras qu'à suivre mes **INDICATIONS**. Prêt ?

— Prêt !

Le yéti monta sur une des cuves et agrippa le rebord. Tirant de toutes ses forces, il réussit à faire plier le métal juste assez pour laisser passer une personne.

L'homme des **NEIGES** se frotta ensuite les mains et les plongea dans le cylindre pour attraper le **LUTIN**. Au même moment, il sentit un engourdissement monter en lui, un engourdissement GLACÉ qui s'engouffrait sous

son poil, montant graduellement jusqu'à ses épaules en léchant sa peau. Douglas frissonnait et avait de la difficulté à BOUGER : tous ses muscles l'abandonnaient sans qu'il puisse y faire quoi que ce soit. Son rêve lui revint aussitôt en mémoire : le souvenir du FROID insupportable qui s'accaparait de lui jusqu'à le paralyser, son incapacité à crier et la NOIRCEUR qui lui tombait dessus… Poussé par la PEUR, il ferma les yeux et s'enfonça plus profondément dans le cylindre, jusqu'à toucher un morceau de vêtement rigide et glacé. Il referma les doigts en grimaçant de douleur et souleva le LUTIN, centimètre par centimètre. Ses muscles se figeaient, ses os menaçaient de casser si la chaleur ne venait pas à leur rescousse. Puis, finalement, il extirpa le petit homme hors de sa prison glaciale et redescendit du cylindre en CLAQUANT des dents.

— Tu as réussi ! Bravo ! l'encouragea Adam.

Dans la pièce où ils se trouvaient, le MERCURE baissait déjà à cause de la FUITE provoquée par l'ouverture du capot de l'ENGIN CRYOGÉNIQUE.

Plus que trois à *libérer*.

Doug s'attaqua à une deuxième cuve, qui fût plus *difficile* à ouvrir que la précédente. Sortir l'ELFE lui donna du fil à retordre, étant donné qu'avant même de plonger dans le CYLINDRE il grelottait déjà. Pour la première fois de sa vie, l'homme des NEIGES comprenait tous ces gens qui se plaignent de l'hiver. Il restait encore deux INTROUVABLES à libérer. Le simple fait de plier les doigts lui donnait l'impression de se faire broyer les mains. Ses lèvres étaient **bleues** et tout son corps se CRISPAIT. Douglas avait l'impression que des milliers d'aiguilles le traversaient de part en part.

— JE... JE... JE... NE POU... POURRAI JA... JA... JAMAIS... Y ARRIV... ARRIVER ! bégaya-t-il.

— Tu ne dois pas lâcher ! l'encouragea Adam. Pense à ceux que tu es en train de sauver !

— Sau… Sauver ? ! Ils… ils… ils sont p-p-peut-être m…

morts ☠ ! ! !

Le VAMPIRE se tourna vers les deux corps figés, couchés sur le plancher.

— Morts ou pas, dit-il, on doit les sortir de cette maison infernale !

— ON NE P-P-POURRAIT P-P-PAS ÉTEINDRE LE... LE... LE MOTEUR, P-P-PLUTÔT QUE DE... DE... DE... DE...

— On va avoir besoin du moteur pour sortir d'ici, Doug ! S'il y avait une autre solution, crois-moi, je ne te laisserais pas souffrir comme ça ! S'il te plaît...

Son ami GROGNA et malgré son épuisement, monta sur la troisième cuve. À bout de forces, il tira sur le rebord du toit. Celui-ci commençait à plier lorsqu'une des mains du yéti lâcha. Un de ses ongles, blanchi et CRAQUÉ, tomba sur le sol. Une goutte de sang perla péniblement au bout de son doigt.

Voyant cela, Adam eut un haut-le-cœur et détourna le regard. Douglas hésita *quelques secondes* et sans mot dire se remit au travail en serrant la mâchoire. Le froid régnait dans toute la pièce, à présent. Du GIVRE recouvrait les fenêtres et les objets en métal. La bouche des deux garçons exhalait une VAPEUR BLANCHE chaque fois qu'ils respiraient. Il fallut *plusieurs minutes* 🕑 au yéti pour sortir l'extraterrestre de sa prison GLACÉE, ce qu'il réussit en retenant un cri de désespoir.

Des pas se firent soudain entendre dans le couloir. Cette fois-ci, ça ne pouvait pas être Ophélie. Son fauteuil ne faisait aucun bruit. Les deux amis se redressèrent, le cœur ♥ menaçant de sortir de leur poitrine.

— Qu'est-ce que c'est que cette fumée glacée sous la porte ? La voix de *Marcus Lajoie* !

— JUUUULES ! ! ! OÙ SONT MES clés 🔑 ? !

— ICI !!! répondit une voix au LOIN.

— Emmène-les-moi !

— Je ne peux pas ! J'ai les deux mains dans la nourriture !

Les pas s'éloignèrent *RAPIDEMENT*. Adam regarda Douglas, les yeux exorbités, au bord de l'apoplexie.

— HO NON, HO NON ! ! ! fit ce dernier.

L'espoir s'éteignit complètement dans le cœur du vampire. Doug n'aurait jamais le temps de sortir le chien à deux têtes avant que *Marcus Lajoie* ne fasse irruption dans le BUREAU et ne découvre leurs manigances : le froid l'avait beaucoup trop affaibli. Son patron les attraperait et, à leur tour, ils seraient prisonniers du piège de glace jusqu'à la fin des temps.

— NON ! ! ! cria Ophélie, au LOIN.

Plus personne ne bougeait. Les deux amis étaient suspendus au moindre son provenant de la cuisine. Que se passait-il ? On entendit un vacarme épouvantable : des assiettes se fracassant sur le plancher, des bruits de lutte, une chaise se renversant…

Et Jules qui s'en mêlait :

— Arrête, mais arrête, enfin ! ! !

— C'est la fin… laissa tomber le VAMPIRE, éteint. Il a découvert la vraie identité d'Ophélie. Il sait que nous sommes dans son BUREAU… C'est vraiment fini… !

— HO QUE NON ! ! ! hurla le yéti.

Une colère PUISSANTE EXPLOSA dans son coeur et lui donna une énergie insoupçonnable. Un genre de décharge électrique s'empara de son corps. D'un seul coup, il ne sentit plus LE FROID, ni la PEUR, ni même la douleur de son ongle. Une étincelle de démence BRILLAIT dans ses yeux, à nouveau déterminés. Il bondit sur la dernière cuve et en ARRACHA LE CAPOT à l'aide d'une seule main.

L'adrénaline lui donnait une force insoupçonnable. Il planta le bras dans le cylindre : tous ses muscles étaient gonflés à bloc, une grosse veine sillonnait son avant-bras, battant au rythme de sa volonté. Il était grand temps d'en finir avec toute cette histoire.

Graduellement, il extirpa enfin le chien à deux têtes, en hurlant un cri de victoire :

— AAAAAARRRRRRRRGGGGGHHHHHH !!!

Les BRUITS de pas revenaient dans le couloir. On entendait Ophélie pousser des PLAINTES et des CRIS de RAGE. Une clé tourna dans la serrure et la porte s'ouvrit

à la volée.

Marcus Lajoie se trouvait là, TENANT FERMEMENT

LEUR AMIE CONTRE LUI.

— C'est terminé pour vous, ❶❶❶❶❶❶❶❶❶❶❶❶ !

— Lâchez-la ! cracha Adam.

L'homme émit un rire maléfique.

— Mais bien sûr ! répondit-il. Vous n'aviez qu'à me le demander ! Je serais prêt à vous accorder n'importe quoi, maintenant que vous avez détruit mon matériel ET MA COLLECTION !

— Laissez-nous partir et nous ne vous ferons AUCUN MAL !

— Je suis désolé, rétorqua l'homme avec une fausse déception… Ça va être impossible ! Vous allez devoir suivre mes recommandations à la lettre ou j'étrangle votre précieuse ~~sirène~~ sous vos yeux. J'avoue que ~~morte~~, elle ne fera pas bonne figure dans ma collection, mais une fois CONGELÉE, ça ne paraîtra pas du tout. Alors, vous deux, grimpez immédiatement dans une bassine VIDE ! ! !

— … D'accord, abdiqua Adam.

— NON ! ! ! refusa Douglas.

Il ne pouvait pas croire que son ami abandonnait aussi

facilement. Ce dernier lui jeta un regard soutenu, lui faisant ainsi comprendre qu'il avait un PLAN.

— Ho… D'accord.

Les deux garçons se dirigèrent EN DIRECTION ☞ **des cuves**.

Passant tout près des quatre qu'ils venaient de détruire, le **vampire** chuchota :

— Donne un coup de pied sur le tuyau.

— Quoi ?

— Donne un coup de pied sur le tuyau ! Brise-le…

MAINTENANT !

Sans même prendre *le temps* ⏱ d'y penser, Douglas obéit aux ordres et fit céder un des tuyaux responsables de la congélation. Adam s'empara du bout cassé. Ses mains grésillèrent au contact du métal surgelé, mais sa peau de **vampire,** fidèle à elle-même, ne ressentit pas la douleur de la brûlure. Le tuyau ░░░░░░░░ une sorte de

LIQUIDE CHIMIQUE qui transformait instantanément en glace tout ce qu'il touchait. D'un geste vif, Adam dirigea celui-ci vers *Marcus Lajoie*, qui n'eut même pas le temps de prononcer un seul mot avant de FIGER SUR PLACE COMME UNE STATUE GLACÉE.

— **ARRÊTE, TU ES FOU ! ! !** cria Douglas.

En paralysant *Marcus Lajoie*, le fameux LIQUIDE avait évidemment éclaboussé Ophélie, qui, elle aussi, subit les conséquences désastreuses de la surgélation.

— **Je n'ai pas le choix !!!** plaida le vampire.
C'est la seule solution ou nous allons tous mourir !

Il termina sa besogne et rejeta enfin le tuyau derrière lui.

— Mais tu l'as peut-être tuée ! ! !
— NON ! ! ! Rappelle-toi ce qu'il a dit : « J'avoue que **morte**
☠, elle ne fera pas bonne figure dans MA COLLECTION,
mais une fois congelée, ça ne paraîtra pas du tout »…
Ce qui veut dire que la CRYOGÉNIE ne tue pas ! Ils sont
encore en vie, Doug ! Alors dépêche-toi de m'aider avant
qu'il se réchauffe et se remette à nous attaquer !

À deux, ils se mirent en frais de délivrer leur amie des
mains du MONSTRE.

— Attention, avertit le yéti. La glace, c'est très FRAGILE…
Ça CASSE facilement !

AVEC MILLE PRÉCAUTIONS, ILS RÉUSSIRENT À DÉGAGER LE CORPS D'OPHÉLIE.

C'est en s'attaquant à la main qui retenait les *cheveux* que les choses se gâtèrent :

— Ses doigts sont complètement fermés ! On ne peut pas faire *glisser* les *cheveux* à travers !

— CASSE-LUI LE BRAS ! l'encouragea le **vampire**.

— Hé ! C'est nous les gentils, Adam. Et les gentils, ils ne CASSENT pas les bras des gens. Même si ces gens sont leurs ennemis !

— ON S'EN FOUT ! ! ! Tu as vu tout le MALHEUR qu'il cause autour de lui ? ! Il le mérite bien !

— NON, Adam ! ! ! Ce n'est pas à nous de décider ce qu'il mérite ou pas ! Notre devoir, c'est de *libérer nos amis*, point final !

— Tu as raison, admit Adam, honteux. Alors on fait quoi ?

— On n'a pas vraiment **le choix...**

D'un **COUP SEC**, Douglas CASSA *les cheveux* d'Ophélie.

— Elle aura une NOUVELLE COUPE, c'est tout.

Ils pouffèrent de rire, imaginant la tête de la jeune fille en constatant LES DÉGÂTS. Déjà qu'elle serait FURIEUSE d'avoir été congelée… !

— Allez, on doit partir d'ici au plus **VITE**, dit Adam.

— D'accord, mais comment ? Nous sommes arrivés à pied… Je ne pourrais jamais **TRANSPORTER CINQ PERSONNES** dans cet état sur mes épaules !

— Non…Surtout sans te faire remarquer, c'est *IMPOSSIBLE*…

<u>SILENCE.</u>

— J'irai vous reconduire, dans ce cas…

Les deux amis relevèrent la tête d'un **COUP SEC**. Jules. Ils l'avaient complètement oublié ! Ce dernier les observait depuis le couloir, l'air déterminé. Dans sa main gauche, il tenait un pistolet peu commun, au bout duquel sortait une AIGUILLE. Il n'en fallait pas plus pour comprendre qu'il s'agissait du *tranquillisant*

CHAPITRE 11

Douglas jeta un regard *RAPIDE* sur le tuyau qui crachait encore son **LIQUIDE GLACIAL**. Le mur commençait à fendre, victime de la **TEMPÉRATURE EXTRÊME**.

— Inutile d'y penser, fit Jules, d'une **VOIX NEUTRE**.

C'était vrai. Ils n'auraient même pas le temps de SOULEVER le **boyau** qu'ils recevraient, tous deux, une dose de calmant en plein dos et tomberaient endormis, peut-être pour toujours. À côté de lui, son ami soupira bruyamment. Une seule et dernière solution s'offrait à eux. Juste à penser à ce qu'il s'apprêtait à faire, le VAMPIRE sentait des frissons de dégoût parcourir son échine. Mais il n'avait pas le choix. À contrecoeur, il relâcha les muscles de sa mâchoire, libérant ses **ÉNORMES** CANINES.

— Dans ce cas, cracha-t-il de sa voix grave, laisse-nous passer. Parce que nous ne reculerons pas !
— Je pense que vous ne comprenez pas, reprit le jeune homme, calmement. Je suis de votre côté ! Je veux vraiment aller vous reconduire !

Le VAMPIRE et le yéti se regardèrent, CONFUS.

— Arrête ton cirque, dit Douglas. Nous t'avons entendu, tout à l'heure, crier : « Arrête ! Mais arrête !!! » Tu disais à Ophélie d'arrêter de se débattre !

— Non !!! Je disais à mon père d'arrêter de s'attaquer à elle !
— Dans ce cas… Qu'est-ce que tu comptes faire avec ce jouet ?

— Quoi, ça ?

Il jeta le PISTOLET par terre.

— C'ÉTAIT POUR L'ARRÊTER, LUI ! JE SUIS SÉRIEUX QUAND JE DIS QU'OPHÉLIE EST MON AMIE !

— Tu veux dire : elle était ton amie… Avant que tu saches qu'elle est une *sirène* ! Ton père voudra en faire une pièce de **SA COLLECTION** ! N'essaie pas de nous berner, Jules. Nous ne sommes pas stupides : tu as sans doute une autre arme cachée sur toi !

— Tu te trompes ! Et en plus, j'ai toujours su qu'Ophélie était une *sirène* !

— Comment ?

— Je ne suis pas un *idiot*. N'oubliez pas que mon père collectionne des **INTROUVABLES**. Il y a longtemps que je sais qu'ils existent ! À partir de là, j'ai fait mes propres déductions : *une fille si belle*, avec une *voix aussi magnifique*, qui traîne l'*odeur* salée de la 🌊 partout où elle passe… Et en plus, elle se déplace en fauteuil roulant, ce qui est logique, puisqu'elle n'a pas de jambes ! Je savais tout ça ! Mais je sais aussi que les **INTROUVABLES** se cachent *des humains*, alors je ne voulais pas l'*EFFRAYER*, c'est pour ça que je ne lui en ai jamais parlé…

Jules paraissait sincère. Un pli d'impuissance barrait son front.

— Écoutez, dit-il la voix empreinte de tristesse. Vous avez le choix : ou bien vous me faites confiance et je vous aide ; ou bien vous me ligotez dans un coin et vous vous débrouillez pour rentrer chez vous. D'une façon ou d'une autre, il faut absolument vous dépêcher parce que j'ai appelé la police et ils vont arriver d'*une minute* à l'autre !

Il s'approcha, LES POIGNETS TENDUS, prêt à se rendre.

— Il y a de la corde dans le premier tiroir du **BUREAU**, précisa-t-il. C'est votre choix.

Douglas consulta son ami du regard. Sans un mot, ils se comprirent.

— C'est bon… Laisse tomber… Et merci.

Le jeune homme sourit. Il enfila une paire de gants, puis souleva le LUTin.

— Nous allons prendre la **VOITURE** de mon père, elle est garée devant la MAISON !

TROIS TENTATIVES FURENT NÉCESSAIRES pour embarquer tout le monde, sans briser ceux qui étaient CONGELÉS, ainsi que le fauteuil d'Ophélie.

Douglas et Adam s'entassèrent sur le siège avant, à côté de Jules qui prit le volant. Au LOIN, on entendait les *sirènes* de police qui approchaient.

✂ CHAPITRE 12 ✂

— MAIS QU'EST-CE QUI SE PASSE ?!

Ophélie se FROTTA le visage. Cette journée ne finirait
donc jamais ? Les surprises s'enchaînaient les unes
après les autres, et rien n'allait pour la rassurer. D'abord,
il y avait eu cette désagréable expérience de surgélation,
puis ses cheveux avaient été ✂COUPÉS✂ courts sans

qu'elle s'en rende compte et, finalement, Jules était ici dans son appartement ! **ET TOUT LE MONDE AGISSAIT COMME SI C'ÉTAIT PARFAITEMENT NORMAL !**

Ses amis durent lui expliquer toute l'histoire du début – la découverte des CAPSULES CRYOGÉNIQUES, les plans de *Marcus Lajoie* pour les ajouter à sa liste de PRISONNIERS DE LA GLACE, comment ils avaient réussi à neutraliser ce dernier – pour qu'elle y croie vraiment.

— Et pendant qu'on blaguait à propos de ta coiffure, expliqua Douglas en rigolant, Jules est arrivé sur le fait !

Le récit continua, passant du doute face au fils de leur ENNEMI, à la façon dont ils avaient emboîté les corps dans la voiture, et finalement comment ils étaient tous rentrés **SAINS ET SAUFS**.

La lune était HAUTE ▲ dans le ciel à présent, et il fallait DÉCONGELER les quatre autres victimes. Doug vida le bain de son eau devenue froide avant de le remplir à nouveau d'eau chaude.

— Le chien et le LUTIN sont assez petits pour entrer tous LES DEUX EN MÊME TEMPS, CALCULA-T-IL. Ça sauverait du temps, non ?

— Tu as raison, admit Adam. Viens, je vais t'aider…

Seuls dans le salon, Jules et Ophélie se regardaient, tous deux mal à l'aise.

— Je suis désolée… confessa la sirène. Je me suis servie de toi pour retrouver les INTROUVABLES qui étaient prisonniers de ton père…

— Je suis heureux que tu l'aies fait, répondit le garçon. Sinon, ils n'auraient pas pu s'en sortir. Je ne pouvais pas agir. Il me surveillait constamment pour s'assurer que je ne dévoile pas son secret — . Cette stupide COLLECTION l'obsédait tant que j'aurais pu y passer, moi aussi, s'il avait su que j'étais contre ! J'ai fait ce que j'ai pu… J'aurais voulu pouvoir en faire plus. Tu as dû me trouver tellement énervant, à l'école… !

— Tu veux dire que…

— Que j'essayais seulement de te protéger, de m'assurer que tu étais en SÉCURITÉ…

— Mais attends ! Tu m'as *invitée* ✉ chez toi, vendredi, alors que tu connaissais les projets de ton père !

— **BIEN SÛR QUE JE CONNAISSAIS SES PLANS ! JUSTEMENT, COMME IL ALLAIT ÊTRE ABSENT, JE VOULAIS TOUT TE MONTRER !**

— Ho… Je suis désolée !

— Ça va. De toute façon, je me doutais que quelqu'un finirait par venir enquêter…

— Pourquoi dis-tu ça ?

— Votre président ne vous l'a pas dit ? J'ai appelé pour dénoncer mon père…

— C'ÉTAIT TOI, L'INFORMATEUR ? !

— Mais oui ! C'était la seule façon de vous mettre la puce à l'oreille 👂 .

— INCROYABLE ! ! ! TOUT CE TEMPS, TU SAVAIS ! COMMENT AS-TU FAIT POUR CONTACTER LA C.I.A. ?

— Tu n'as aucune idée du mal que j'ai eu ! Même entrer chez la ⟩ *Reine d'Angleterre* ⟨ est *moins difficile* !

Douglas et Adam revinrent de la salle de bain, accompagnés du LUTIN et du CHIEN.

Ces derniers semblaient On l'aurait été à moins…

— Bon, eh bien… fit Jules. Je vais devoir rentrer.

— Mais tu ne cours aucun danger ? s'enquit le VAMPIRE.

— Je vais faire croire à mon père que vous m'avez assommé et qu'en me RÉVEILLANT j'ai essayé de vous rattraper. Ça devrait faire l'affaire.

— Mais… Tu t'es opposé à lui quand il a attrapé Ophélie…

— Oui, parce que c'est mon amie. Je vais me débrouiller. Ça devrait bien aller.

— En tout cas, si jamais ça tourne () MAL, ne te gêne

pas pour revenir, l'invita la jeune fille.

— Merci. *T'es gentille*...

Il déposa un bec sur sa joue et quitta l'appartement.

— **WOUHOU !! !** se moqua Adam, une fois leur invité sorti.

— Tais-toi ! le rabroua son amie.

Bientôt, chacun des prisonniers enfin sorti de son carcan de **GLACE** retrouva sa ***température ⌡ normale***, le contrôle sur ses membres et sa liberté.

La semaine suivante, on organisa une fête dans la salle du GRAND Palais pour célébrer le retour des **INTROUVABLES** qui avaient été capturés. Ophélie, Adam et Douglas reçurent une médaille de bravoure pour leurs ACTIONS HÉROÏQUES et tout le monde les félicita. Le **comte Vincent** envisagea même de leur donner du travail...— Depuis un bon moment déjà, expliqua celui-ci, nous pensons établir un comité de défense des **INTROUVABLES** – une sorte d'équipe spéciale d'intervention. Avec ces événements, vous nous avez prouvé que votre courage était à la   d'un tel emploi. Qu'en dites-vous ?

ILS NE S'ATTENDAIENT PAS DU TOUT À UNE OFFRE DE CE GENRE !

Ophélie répondit qu'ils allaient devoir y réfléchir. L'important était d'abord de se remettre de leurs émotions et de faire le point sur toute cette aventure.

— Si ça peut vous rassurer, ajouta l'oncle d'Adam,   va être jugé et envoyé en prison. Au moins, nous serons *TRANQUILLES* de ce côté !

Sur le chemin du retour, les trois amis discutèrent de la proposition.

— Si on accepte, est-ce que les gens vont devoir nous appeler « *SHÉRIF* » ? demanda Douglas, excité.
— PFF ! réagit la sirène. Jamais de la vie !
— De toute façon, « shérif » est un mot masculin.

On ne peut pas appeler Ophélie comme ça.

— Non, mais on pourrait l'appeler « shérifesse » !

— SHÉRI-FESSE ? Que je n'en voie jamais un de vous deux m'appeler comme ça !

Ils éclatèrent de rire.

La nuit était fraîche et tranquille. Une douce brise soufflait sur leur visage.

En entrant dans l'appartement, une surprise attendait Ophélie : une petite bête poilue arriva à la course et lui ≷ sauta ≷ dans les bras.

—AH ! ! ! Mais… Qu'est-ce que c'est que ça ? !

— C'est un Bilby ! ! ! s'écria Douglas, fier de son coup. Tu te souviens, l'autre soir ?

Adam a lu dans tes pensées et il a vu que tu en voulais un ! ! ! Alors je t'en ai acheté un ! ! !

La sirène se tourna vers le vampire, les sourcils levés.

Elle se retenait de rire, ne voulant pas BRISER la joie de leur ami poilu. La petite bestiole était tout à fait adorable. Ophélie n'en avait peut-être jamais réellement voulu, mais juste à regarder le Bilby se ♥LOVER♥ dans ses bras, elle sut qu'il lui serait désormais impossible de s'en séparer.

Cette soirée se terminait à ⋛merveille⋚ . À tout le moins, pour eux ! Parce qu'à quelques kilomètres de là, accroupi dans un coin de sa cellule, *Marcus Lajoie* écumait de RAGE.

—*je me vengerai* ! chuchotait-il. Et ils subiront tous LES FOUDRES de MACOLÈRE, tous autant qu'ils sont ! Ils se disent « **INTROUVABLES** »… ? Tss. Je les ai trouvés une fois, je le ferai bien à nouveau ! Et à ce moment-là, ils le regretteront !

MOUAHAHAHAHA ! ! !

FIN.

Jusqu'à la prochaine aventure !

L'aventure continue
...

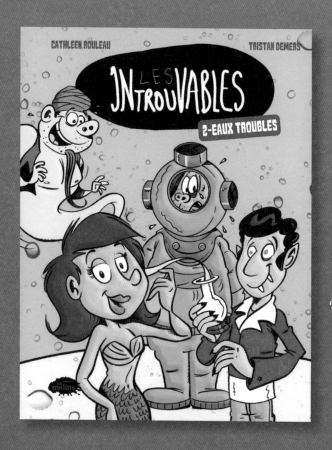

Retrouve le tome 2 en librairie